CW00828504

LA FEMME DANS LES BOIS

PHILLIP TOMASSO

Traduction par
EMILIE CANCHON

Ce livre est dédié à Jenny.
Si vous me connaissez,
Vous savez qui est Jenny.
Si vous savez qui est Jenny,
Alors vous savez pourquoi ce livre
Lui est adressé...

CHAPITRE UN

ELISSA CROSBY NE TROUVAIT PAS LE SOMMEIL, troublée par l'impression tenace que quelque chose clochait. Le coup frappé à la porte lui fournit un prétexte pour sortir du lit. Elle alluma la lanterne sur la table de chevet et enfila sa robe de chambre. La faible lumière vacilla alors qu'elle traversait le salon et elle s'immobilisa, les jambes et les pieds alourdis par le sentiment d'angoisse dans son estomac.

On toqua à nouveau.

Une ombre rétroéclairée par le clair de lune assombrissait la porte vitrée garnie de rideaux. Ses lèvres tremblaient et, bien que séduite par l'idée de se recoucher, de se glisser sous les couvertures et de trouver le sommeil, elle se força à avancer.

— Juste une minute.

Elissa regrettait rarement l'absence d'un mari

auprès d'elle excepté lorsque le toit fuyait et qu'elle était seule dans un lit froid les nuits d'hiver. L'homme qu'elle avait malheureusement épousé était un enfoiré. Colérique et violent, se débarrasser de lui avait été l'une des décisions les plus judicieuses qu'elle ait jamais prises de sa vie. Bien que ses ecchymoses aient disparu et que ses os brisés se soient consolidés de nouveau, des cicatrices invisibles subsisteraient à jamais. Il était dommage qu'elle ait perdu dix ans à se voiler la face avant de se réveiller. Il n'en demeurait pas moins qu'avoir quelqu'un à ses côtés pour ouvrir la porte au milieu de la nuit la rassurerait. C'était la troisième chose qui lui manquait. Elle était seule et, comme pour tout le reste, c'était sur elle que reposait la responsabilité d'accomplir les tâches.

Elle déverrouilla la porte et l'ouvrit. Le carillon de verre marin et bois flotté tinta sous l'effet d'une brise vigoureuse qui s'engouffra près d'elle. Elle frissonna et resserra sa robe de chambre pour se protéger du froid tandis que des feuilles mortes et brunies bruissaient sur l'herbe haute devant la maison.

Le shérif se tenait sur le perron, son Stetson dans les mains devant sa poitrine. Il fit tourner le chapeau par le bord.

— Désolé de vous déranger à cette heure de la nuit, Elissa.

Dans les petites villes, tout le monde s'appelait

par son prénom. Benji O'Sullivan avait presque le même âge qu'elle, peut-être un an ou deux de plus. Elle se sentit soulagée l'espace d'un instant. Mieux valait trouver O'Sullivan sur le pas de la porte plutôt qu'un étranger ; néanmoins, cela l'étonnait. Que fabriquait-il ici, chez elle, au beau milieu de la nuit ?

— Un problème, shérif ?

— Ça vous dérange si j'entre ?

Elle s'écarta.

— Pas du tout, mais je dois vous avouer que je m'inquiète un peu de recevoir votre visite tard dans la nuit.

Pourquoi ne m'appelle-t-il plus Elissa ?

— Madame, madame Crosby, nous avons trouvé un corps. Votre fille est-elle à la maison ?

— À cette heure-ci, elle dort dans sa chambre... si tant est qu'elle ne se soit pas réveillée en entendant frapper à la porte.

— Pourriez-vous vérifier ?

— Comment ça, shérif ?

Elissa enroula un bras autour de sa taille dans l'espoir de s'arrêter de chanceler. En vain.

— Je suis sûre qu'elle n'a été témoin d'aucun acte criminel. J'en ai la certitude.

Le sentiment d'angoisse qui s'était emparé d'elle ces dernières heures, la raison pour laquelle elle ne parvenait pas à trouver le sommeil... tout s'expliquait. Ses jambes refusaient de lui obéir ; elle était figée sur place.

— Elissa ?

— Pouvez-vous me dire de quoi il s'agit ? Alice doit se lever tôt le matin. Je préfère ne pas avoir à la déranger. Peut-être que je pourrais répondre à certaines questions.

Elle se mordillait la lèvre inférieure et ne cessa que lorsqu'elle craignit de se mettre à saigner.

— Nous avons découvert un corps dans les collines non loin d'ici.

— Mon Alice ne sait rien à ce sujet.

La main qu'Elissa gardait sur son ventre se referma en un poing serré. Ses ongles pointus s'enfoncèrent dans ses paumes.

— Je ne pourrais l'affirmer, mais je trouve que la victime ressemble beaucoup à votre Alice.

Elissa secoua la tête.

— Non, c'est impossible. Elle est ici. Dans sa chambre. Couchée.

— Quand avez-vous vérifié pour la dernière fois ?

À quand remontait la dernière fois qu'elle était allée voir Alice ?

— Elle ne se sentait pas bien. Elle n'a presque rien mangé pendant le dîner et a demandé à quitter la table.

L'œil du shérif tressauta.

— Quand avez-vous dîné ?

Ses traits étaient projetés dans un inquiétant mélange de lueurs de chandelle et d'ombre. Elissa se moquait de son apparence physique lorsque la flamme dansait, tout comme elle se fichait de l'effet produit par l'obscurité et la lumière sur ses yeux.

— Vers dix-sept heures trente ou dix-huit heures.

Le shérif sortit sa montre à gousset.

— Il est presque trois heures du matin.

Elle n'avait pas saisi son insinuation.

— Ma fille était malade, shérif. Elle s'est couchée tôt.

— Je ne mets pas votre parole en doute, madame.

Il leva les deux mains en l'air pour l'apaiser. Au lieu de cela, elle avait l'impression qu'il la prenait de haut.

— Je m'en voudrais si nous ne nous donnions pas au moins la peine de vérifier. J'espère me tromper et vous avoir dérangée pendant la nuit pour rien, madame. Si elle dort sous ses couvertures, c'est bon. Il ne sera pas nécessaire de la réveiller.

Elle ignora les gouttes de sueur qui perlaient sur son front ; la transpiration s'accumulait aussi derrière ses genoux et à l'intérieur de son poing serré. Elle ne cessait de regarder vers l'arrière de la maison, là où se trouvaient les chambres.

— Je me demande bien à quoi bon.

— J'aurai l'esprit tranquille, madame.

Elle aurait préféré qu'il l'appelle à nouveau par son prénom. Cela lui semblait plus officiel et perturbant lorsqu'il s'adressait à elle de manière formelle.

— Madame ?

— Bon, d'accord. Attendez ici. Je vais m'en assurer. Désolée pour l'obscurité. Je n'ai pas d'autre lampe.

— Ça ira.

Elle pinça les lèvres. Peu importe si le shérif voyait son air mécontent. Elissa se traîna dans le couloir, passa devant sa propre chambre et hésita, la main sur le bouton de la porte de sa fille. Elle s'immobilisa, incapable de bouger. La peur et la panique l'envahirent. Non seulement son estomac lui faisait mal, mais l'intérieur de son corps tout entier bouillonnait d'anxiété.

— Shérif ? Pouvez-vous venir s'il vous plaît ?

Il devrait se frayer un chemin dans l'obscurité. Elissa ne se retourna pas lorsqu'elle entendit ses pas derrière elle.

— Je ne peux pas l'ouvrir.

— Est-ce qu'elle est verrouillée ? demanda-t-il.

— Non.

Elle secoua la tête. C'était la raison pour laquelle elle n'avait pas réussi à trouver le sommeil. Elle ne s'en était pas rendu compte, mais elle comprenait à présent la cause de l'inquiétude qu'elle ressentait.

— J'ai peur, confia-t-elle.

Le shérif tendit la main, tourna le bouton et poussa la porte.

Elissa lui remit la lanterne. Elle ne pouvait se résoudre à regarder à l'intérieur de la chambre de sa fille.

La faible clarté perçait à peine l'obscurité au-delà du seuil de la pièce.

Impuissante, Elissa se força à scruter les ténèbres. Elle n'avait pas besoin de la lumière du soleil pour voir que le lit d'Alice était vide.

Tombant à genoux, Elissa se mit à hurler :

— Non ! Non, non, non !

CHAPITRE DEUX

ROCHESTER, ÉTAT DE NEW YORK – ÉPOQUE ACTUELLE

— Tu rentres chez toi, Jeremy.

L'infirmière lui adressa un sourire chaleureux. Vêtue d'une tenue d'hôpital, les cheveux tirés en arrière, elle posa avec hésitation la main sur son bras.

Jeremy faillit avoir un mouvement de recul, mais se retint. Cela allait à l'encontre de son instinct. La résistance qu'il opposait à ces pulsions l'avait aidé à convaincre les médecins qu'il allait mieux. Au lieu de cela, il plia le dernier t-shirt qui se trouvait dans le tiroir de sa commode et le plaça sur le lit à côté du reste de ses affaires.

— Impatient ?

Il acquiesça. « Impatient » n'était pas le terme approprié. « Apeuré » convenait davantage. Au cours des neuf années qui s'étaient écoulées, il n'avait connu que les couloirs blancs de St Mary's. Peut-être n'aurait-il pas dû fournir autant d'efforts pour convaincre les médecins de quoi que ce soit. Il ne serait pas là, à emballer ses affaires. C'était une soirée cinéma. Il pourrait être occupé à mettre un sachet de pop-corn au micro-ondes et à choisir un fauteuil inclinable dans la salle de détente en prévision du film. Peu importe ce qu'on diffusait. La soirée cinéma était la meilleure.

— Tu as un peu peur ? lui demanda-t-elle.

— Un peu, avoua-t-il en hochant la tête.

— Ce n'est rien.

Elle avait hésité, comme si elle s'apprêtait à dire « c'est normal », mais s'était interrompue juste à temps.

— Tu vas vivre avec ton oncle ?

Il souhaitait que la conversation se termine. Elle le mettait mal à l'aise. Les questions avaient beau paraître simples, il avait quelque part l'impression d'être encore testé et observé.

— J'avais huit ans quand on m'a amené ici. Je ne me souviens pas très bien de lui.

Même s'il avait peur de partir, il se sentait prêt. Le service psychiatrique où il se trouvait abritait des gens qui parfois le terrifiaient. Quand Bobby n'était pas debout dans un coin à parler aux murs, il se frappait le visage si fort qu'il s'était cassé le nez à une ou deux reprises. CarryAnn mangeait tout ce qui lui tombait sous la main. Il ne comptait plus les soirs où elle avait été transportée à Strong[1] afin que les médecins urgentistes puissent lui pomper l'estomac. Jethro détestait s'habiller et les aides-soignants n'avaient jamais la tâche facile lorsque, après l'avoir poursuivi dans les couloirs, ils étaient obligés de plaquer et de maîtriser l'homme nu et violent, à la carrure imposante.

— Il t'a rendu visite plusieurs fois.

Les visites en question l'embarrassaient. L'oncle Jack et lui s'asseyaient à une table dans la salle de détente. Ils parlaient de la pluie et du beau temps, ou bien d'un match de football ou de baseball, même si Jeremy se souciait moins du sport que de la météo.

— Oui, acquiesça-t-il.

Il n'avait rien d'autre à plier. Tout ce qu'il possédait était soigneusement empilé sur le lit. Il devait se retourner et faire face à l'infirmière, mais ne pouvait s'y résoudre. Les bras pendant le long du corps, il regarda fixement ses affaires et attendit patiemment qu'elle jette l'éponge et s'en aille.

Enfin, lorsque le silence se prolongea, elle quitta la pièce.

———

Le docteur Brian Burkhart était assis à son bureau. Derrière lui, on apercevait de hautes étagères remplies de livres. Penché en arrière sur sa chaise, les bras en appui sur les accoudoirs, il se tapotait le bout des doigts qui se rejoignaient en une pyramide sous son menton. Une raie séparait soigneusement ses cheveux gris au milieu et sa chemise bleue au tissu soyeux était fraîchement repassée. Une blouse blanche était accrochée à un support à proximité du mur sur lequel figuraient une multitude de diplômes encadrés. Il observa ses visiteurs par-dessus les montures de ses lunettes à verres épais et sourit.

— Monsieur Raines, ravi de vous voir ce matin.

— Moi aussi, docteur.

Homme à la carrure robuste, Jack se tenait assis droit sur une chaise en bois inconfortable, ses larges épaules rejetées en arrière et ses bras costauds appuyés aux accoudoirs. Il gardait les mains jointes sur ses genoux. Jeremy étudia sa chevelure châtain, ses yeux écartés et son menton fort et se demanda si c'était là un aperçu de ce à quoi il ressemblerait quand il aurait la quarantaine.

— Comment vas-tu aujourd'hui, Jeremy ?

La question avait beau paraître innocente, y répondre était un peu plus compliqué. S'il mettait trop de temps, cela pourrait être interprété comme maladroit et calculé.

— Bien. Merci.

Il lui semblait peu opportun de mentionner qu'il avait l'estomac dérangé. Il ne savait pas s'il avait envie d'aller à la selle ou bien de vomir. Sur le point de commencer à transpirer, Jeremy continua à respirer de manière régulière et calme. Il était partagé entre la peur de rentrer à la maison et le refus de passer une nuit de plus à l'intérieur de l'établissement. Il redoutait la liberté. Rester à l'hôpital le rendrait fou. S'il ne l'était pas déjà, bien sûr.

— Puisque Jeremy a obtenu son certificat d'équivalence d'études secondaires pendant son séjour ici, je crois comprendre, monsieur Raines, que vous avez trouvé un travail à votre neveu ?

Le docteur Burkhart avait gardé les bras sur le bureau, les doigts entrelacés devant lui. Il se pencha vers l'avant, faisant preuve d'un intérêt manifeste et visiblement sincère.

Jack se couvrit la bouche de son poing et s'éclaircit la gorge.

— Oui, monsieur. Rien de bien extraordinaire. Un petit restaurant en ville. Il bossera à l'arrière. C'est l'un des seuls endroits où manger, donc c'est très fréquenté.

— C'est parfait. Mon premier travail était comme aide-serveur lors de réceptions. Je faisais de très longues heures, mais ça m'a permis d'acquérir une conscience professionnelle.

Le docteur Burkhart hocha la tête en silence comme pour finir intérieurement sa pensée.

Jeremy essayait de prêter attention à la conversation, mais au lieu de cela, il étudiait le profil de son oncle Jack. Ce dernier était bien rasé, avec des rides au coin des yeux. *Il ressemble à mon père,* songea Jeremy.

— Jeremy ? fit le docteur Burkhart.

— Oui. Ça doit être difficile de travailler comme aide-serveur.

— Difficile, je ne sais pas. Ce que je peux dire, c'est que ce boulot m'a beaucoup appris. Dans l'ensemble, ce fut une expérience. Je me réjouis depuis le premier jour d'avoir pu bénéficier de cette opportunité, sourit le docteur Burkhart dont les yeux brillaient, pleins d'espoir.

Comme ce devait être agréable d'être toujours optimiste et de voir les choses du bon côté.

— Mon premier travail consistait à tondre les pelouses en été et à pelleter les allées en hiver, expliqua l'oncle Jack en lui adressant un sourire crispé en retour. J'ai gagné beaucoup d'argent, mais je me suis cassé la colonne vertébrale.

La conversation avait pris un tour quelque peu surréaliste et Jeremy la gérait au mieux en souriant et en hochant la tête. Il voulait sortir du petit bureau. Il aurait juré que les murs bougeaient. Était-il possible que la pièce ait rétréci ? Il inspira lentement et profondément. Il sentit la transpiration s'accumuler dans le creux de sa gorge et de sa clavicule. Il faisait sans conteste plus chaud. Jeremy tira sur son t-shirt, mais s'interrompit et laissa retomber sa main sur ses genoux. Il ne voulait surtout pas que l'on interprète ses faits et gestes comme les symptômes d'une maladie mentale.

S'ils révoquaient sa décharge, il était possible qu'il se mette à crier. Non, il se mettrait à crier.

Crier n'avait rien d'extrême.

Peut-être était-il guéri et méritait-il de rentrer à la maison ?

Il secoua la tête. S'il allait mieux, alors pourquoi le bureau rétrécissait-il et devenait-il de plus en plus chaud ? Personne d'autre que lui ne semblait le remarquer. L'oncle Jack n'avait pas l'air mal à l'aise ou inquiet.

— Est-ce que tout va bien ? demanda le docteur Burkhart.

— Je n'ai jamais occupé un emploi auparavant.

L'oncle Jack changea de position et se tourna vers son neveu.

— C'est presque comme aller à l'école. Tu te lèves le matin pour aller travailler. Ton patron est un peu comme un enseignant. Tu fais ce qu'il te réclame. Seulement, au lieu d'avoir des devoirs à rendre, on te donne un salaire.

Jeremy détestait l'école. Ceux qui le harcelaient avaient transformé cette expérience en enfer. Il ne comptait plus les fois où il s'était battu. Il se trouvait d'ordinaire du côté des perdants. D'innombrables visions d'yeux au beurre noir, de lèvres boursouflées et de nez ensanglantés continuaient de hanter la plupart de ses rêves. De plus, il n'était jamais question de combats singuliers. Il se souvenait avoir essayé de se défendre contre des groupes de garçons.

— Ça me tente bien de toucher un salaire, reconnut-il en souriant.

Les railleries étaient presque toujours pires que les coups. Il préférait encore être bousculé ou frappé dans le dos plutôt que de recevoir des insultes et que l'on fasse tomber les livres qu'il tenait dans ses mains.

Il s'inquiétait à l'idée que le travail puisse avoir une quelconque ressemblance avec l'école.

Peut-être avait-il eu tort de vouloir quitter St Mary's. Au moins, la vie derrière ces murs capitonnés était sûre.

Adopter la bonne décision était-il seulement possible ?

Devait-il en discuter davantage avec le docteur Burkhart ?

— J'ai une question.

Jeremy se figea, surpris d'avoir osé prendre la parole.

Le docteur Burkhart se pencha vers l'avant. Son expression tout entière reflétait un intérêt sincère. Il écarquilla les yeux en attendant la suite.

— Oui, Jeremy ?

— Si je veux revenir, est-ce que je peux ?

Jeremy ne savait pas véritablement à quoi s'attendre. Lorsque le médecin se rassit sur sa chaise et sourit, il comprit que c'était la réaction inverse de celle qu'il avait escomptée.

— Tout ira bien, mon garçon. Si nous ne pensions pas que tu étais prêt à rentrer chez toi avec ton oncle, nous ne serions pas dans cette pièce en ce moment même. La question que tu viens de poser me fait dire que le conseil a pris la bonne décision. Les années que tu as passées ici t'ont énormément aidé. Tu as parcouru un long chemin. Maintenant, la seule façon pour toi d'évoluer en tant qu'individu est de retourner dans le monde extérieur. Je sais que ça peut sembler effrayant. Tu as de très nombreuses choses à découvrir et dont tu dois faire l'expérience. Cela dit, ma carte se trouve à l'intérieur de cette pochette et si tu as besoin de parler de quoi que ce soit, tu peux m'appeler. De nuit comme de jour, Jeremy. D'accord ? Je serai toujours là pour toi. Pour tout t'avouer, je serais déçu si tu ne me téléphonais pas de temps à autre pour me donner des nouvelles. Qu'en dis-tu ?

Cela continuait à lui faire peur.

— Merci, Docteur Burkhart.

— Tu n'as pas à me remercier. Contente-toi de m'appeler. Promis ? ajouta le docteur Burkhart en se levant.

Jack l'imita et Jeremy, qui ne voulait pas être en reste, en fit autant.

— Vous avez ma parole.

CHAPITRE TROIS

Jeremy déposa son étui à guitare et ses sacs à l'arrière de la camionnette de Jack. Il monta dans la cabine et attacha sa ceinture de sécurité, s'efforçant de faire abstraction du nœud qui lui serrait le ventre. Ce ne fut qu'après avoir quitté le parking de St Mary's qu'il ressentit un certain soulagement et s'autorisa à pousser un léger soupir. Ils rentraient à la maison. Il doutait toujours que son départ de l'établissement soit une bonne idée, mais il avait conscience d'être enfin prêt à passer à autre chose.

Le climatiseur de Jack se mit à bourdonner et à souffler de l'air glacé par les grilles d'aération qui se trouvaient dans les coins. Jeremy s'en moquait. Même si la fête du Travail avait lieu lundi, le mois d'août avait déjà fait des ravages. L'été s'était avéré à la fois chaud et terriblement humide et il n'aimait pas transpirer. La clim faiblarde de l'hôpital ne suffisait jamais à rafraîchir le service, ou plus précisément *sa* chambre.

— Il fait trop froid ? Tu peux le régler comme tu le souhaites.

Il tripota les commandes du tableau de bord avec ses doigts. L'air s'arrêta brusquement.

— Non, c'est agréable, fit Jeremy en secouant la tête.

Jack remit le climatiseur en route et ôta sa main.

— Tu en es sûr ?

— Ouais. Ça fait du bien.

Jeremy réajusta la ceinture de sécurité sur sa poitrine. Le nylon s'enfonçait sur le côté de son cou, provoquant des rougeurs et des démangeaisons sur sa peau. Il n'avait pas le souvenir d'avoir déjà voyagé sur le siège avant d'un véhicule. Lorsque les patients du service partaient en excursion une journée, ils empruntaient un minibus et, s'il y avait de la place, il s'installait à l'arrière.

Cruellement radieux dans un ciel bleu sans nuages, le soleil émit une lueur blanche et aveuglante sur le pare-brise. Jeremy leva la main et se protégea les yeux.

— Tu peux abaisser la visière si tu veux, proposa Jack en la désignant du doigt.

Jeremy leva les paupières et aperçut les bords de plusieurs papiers qui dépassaient. Il souhaitait éviter de créer du désordre. Ce n'était pas grave, il pouvait plisser les yeux face à la lumière du soleil.

— Ça va, le rassura Jeremy.

Jack allongea le bras pour attraper les documents retenus au-dessus de la visière, les retourna dans sa main, puis les tendit à Jeremy.

— Tu veux bien les ranger dans la boîte à gants pour moi ?

Le vide-poches était déjà plein.

— Pas sûr qu'ils y entrent.

— Fourre-les dedans et referme-la d'un coup sec.

Il se mit à rire devant le mal qu'avait Jeremy à empêcher les papiers de sortir avant que le couvercle ne se rabatte. Après plusieurs tentatives, celui-ci y parvint.

— Et voilà.

Jeremy s'aperçut qu'il avait levé les yeux au ciel par inadvertance et espéra que son oncle n'avait rien remarqué. Ce n'était pas de l'ingratitude ; il était surtout embarrassé de se trouver en difficulté face à quelque chose d'aussi simple qu'une boîte à gants.

— Tu veux écouter de la musique ? Nous avons environ quatre heures de route devant nous.

Papoter lui demandait beaucoup d'efforts. Jeremy était reconnaissant à son oncle de l'accueillir ; toutefois, il n'existait aucune manière polie de lui faire comprendre qu'effectuer tout le trajet dans un silence absolu lui convenait bien, tant il régnait à l'hôpital un tumulte permanent. L'établissement était plein de gens qui hurlaient, pleuraient ou parlaient.

Aurait-il bénéficié d'une décharge s'il n'avait nulle part où aller ? Si l'oncle Jack n'avait pas accepté de le recevoir ? Il n'avait jamais posé cette question à personne auparavant. Cela lui semblait alors futile. Désormais, il éprouvait une certaine curiosité.

— Ce serait génial, concéda Jeremy.

— Bien.

Jack opina du chef avec un tel enthousiasme que l'on aurait cru qu'au lieu d'allumer la radio, tous deux avaient convenu d'accomplir une action insensée, pleine de signification, et qui les rapprochait. Une musique bruyante jaillit des enceintes.

— Je ne connais pas tes goûts. Mets la station que tu veux.

Jeremy haussa les épaules. À St Mary's, des haut-parleurs diffusaient des trucs instrumentaux presque toute la journée. Même si la mélodie jouait doucement en sourdine, sa présence constante et répétitive finissait généralement par lui donner un peu mal à la tête.

— Tu n'as qu'à mettre ce que tu aimes. Ce sera parfait, je t'assure.

Il désirait être poli et lui prouver qu'il n'avait pas commis d'erreur en l'accueillant.

Jack laissa échapper un long soupir et desserra ses doigts avant d'agripper à nouveau le volant.

— Je peux te dire quelque chose ?

La gorge de Jeremy devint sèche. Craignant que sa voix ne se brise s'il parlait, il se contenta de hocher la tête.

— Je veux être honnête et franc avec toi, d'accord ? Tout ceci m'angoisse réellement. Je suis vraiment stressé. Ton père était mon seul frère. Tu es mon dernier parent. Nous appartenons à la même famille. Je sais que tu avais besoin de prendre du recul et qu'il te fallait du temps pour aller mieux et tout ça. Mais les gens de l'hôpital ne se sont pas contentés de te remettre à moi.

Jack se retourna et désigna son neveu.

— Je me suis battu pour toi. Je voulais que tu rentres à la maison.

— Vraiment ?

— Ouais.

Jack se concentra sur la route et changea de position sur son siège.

— Le truc, c'est que je ne connais pas grand-chose aux enfants, fit-il en se passant la main près de la tête. J'ai gardé en mémoire un tas de souvenirs de ma mère, c'est-à-dire de ta grand-mère. Elle est décédée avant ta naissance et je me rappelle juste ce qu'elle faisait pour moi et pour ton père. C'était une femme extraordinaire, je te jure. Personne ne pourrait vouloir une meilleure mère.

Les yeux de Jeremy tressautèrent et il détourna le regard.

— Je suis désolé, s'excusa Jack. J'ai dit ça sans

réfléchir. Mais c'est bien là le problème, tu vois. Ce que j'essaie de te faire comprendre, c'est que je n'ai pas la moindre idée de ce que je dois dire ou faire. Je ne sais même pas comment agir.

— Tu t'en sors bien. Je suis mal à l'aise, moi aussi. Je ne veux surtout pas faire de bêtises.

Jeremy tut le reste de sa réflexion : *il n'avait pas envie que son oncle le renvoie à St Mary's.* Il avait été libéré de l'établissement depuis une demi-heure à peine et, déjà, il avait moins peur de retourner chez lui.

Il devait admettre qu'il avait bon espoir.

— Bon. Bien, alors. Nous sommes sur la même longueur d'onde. Dans ce cas, on va se détendre. On va prendre le temps de s'habituer à la présence l'un de l'autre, on gardera nos distances quand ce sera nécessaire, et je pense que tout se passera bien. *Queq'* t'en dis ?

C'était parfait.

— D'ac.

Jack lui tendit la main sans quitter la route des yeux.

— Tope là !

Ils échangèrent une poignée de main.

— Bon, mets de la musique et profitons du retour à la maison.

Jeremy allongea le bras vers le bouton de la radio.

— Ce n'est rien, tu sais.

— Comment ça ? demanda Jack.

Jeremy avait passé des années à travailler sur le vide causé par l'absence de sa mère et de son père, ainsi que sur son deuil. Ils constituaient le cœur de sa thérapie individuelle et revenaient souvent lors des séances de groupe du docteur Burkhart. Accepter qu'il ne soit en rien responsable de leur mort était primordial pour son rétablissement. Après avoir réussi à surmonter les nuits blanches et les cauchemars sans fin qui peuplaient son sommeil, Jeremy avait découvert de nouvelles manières de faire face à la vie.

— Je suis sûr que ma grand-mère était une femme formidable. J'aurais aimé la rencontrer.

— Tu l'aurais adorée et elle t'aurait gâté pourri.

CHAPITRE QUATRE

FORT KEEPS, ÉTAT DE NEW YORK – ADIRONDACKS

— Est-ce que ça te rappelle quelque chose ? demanda Jack en souriant.

Jeremy s'était dit qu'il ne reconnaîtrait rien, qu'il était parti depuis trop longtemps pour se souvenir de quoi que ce soit. Il ressentit une pression agréable tandis qu'ils se faufilaient à travers les montagnes. Ces dernières agissaient presque comme une entité protectrice, mais pouvaient aisément paraître à tort inquiétantes ou étouffantes. Les grands arbres feuillus qui bordaient chaque côté de la route atténuaient un peu sa phobie.

Les clairières ne laissaient rien entrevoir d'autre que des eaux calmes. Ils étaient presque arrivés à la maison.

— C'est bien Fourth Lake ? questionna Jeremy en pointant du doigt par la vitre.

— C'est exact.

Il avait l'impression d'être redevenu un enfant. Dans le bon sens du terme. D'une manière qui lui semblait normale. Il se rendit compte qu'il respirait de façon plus régulière. Le nœud qui lui enserrait l'estomac tout à l'heure avait volé en éclats pour ensuite s'évanouir.

Chez lui.

Cela devenait soudain plus que de simples mots ou un sujet abordé en groupe. Il ne put dissimuler un sourire satisfait. Il regarda par la vitre les bateaux qui dérivaient sur l'eau et les nageurs qui s'approchaient des rives.

Jack quitta la route principale et accéléra. Il n'y avait aucun panneau de limitation de vitesse. La voirie était toujours goudronnée, mais comportait davantage de trous et de fissures. La conduite jusqu'ici douce devint cahoteuse. Le feuillage prenait un aspect plus dense ; de grosses branches s'élevaient et s'entrecroisaient telle une voûte, projetant une couverture d'ombres sur le sol.

Jeremy savait que le docteur Burkhart avait donné ses ordonnances à son oncle. Il ignorait pourquoi il pensait à cela maintenant. Ses paumes le démangeaient. C'était un signe d'anxiété chez lui. Il ne devait plus rien prendre d'autre jusqu'au moment du coucher.

— Est-ce que tu vivais près de chez nous ? demanda-t-il à Jack.

Jeremy se rappelait sa maison, mais elle lui apparaissait surtout sous forme d'images furtives qui infiltraient ses souvenirs. Les marches fissurées du perron menaient à une habitation sur deux niveaux et revêtue de planches de clin de couleur gris mat. La peinture qui recouvrait le bois était presque entièrement écaillée. Il se souvenait que son père laissait des pots de lasure, une échelle d'extension en aluminium, ainsi qu'une bâche couverte d'éclaboussures sur la pelouse de devant. Sa mère disait toujours qu'il fallait donner une nouvelle couche au bout de quelques années, car le clin absorbait la lasure.

Jeremy n'avait pas la moindre idée de ce que cela signifiait. Il savait seulement que son père allait lui permettre de l'aider pendant l'été. Il lui tardait de monter à l'échelle et de peindre la maison. Il passerait des moments formidables en sa compagnie.

Et puis, ils avaient été assassinés.

Et il était parti.

— Alors, qu'en penses-tu ? demanda Jack en haussant les sourcils dans l'attente d'une réaction positive.

Jeremy, cependant, ne l'écoutait pas. Cela lui arrivait parfois. Trop souvent, à vrai dire. Son esprit l'entraînait dans des directions différentes et revenir à la réalité n'était pas toujours facile. Une main sur son épaule, un doigt sur son bras : certains membres du personnel soignant de St Mary's s'évertuaient à recourir au contact physique pour capter à nouveau son attention.

— Ça m'a l'air d'une bonne idée, assura Jeremy, conscient qu'il devait répondre quelque chose.

— Formidable. C'est fabuleux.

La route serpentait à travers les arbres. On apercevait une nouvelle fois les montagnes de chaque côté. Ils devaient approcher de la petite ville de Fort Keeps. Jeremy trouvait que le temps était passé vite, surtout depuis qu'ils étaient arrivés dans la région des Adirondacks.

— À gauche, c'est le lac Big Moose, fit remarquer Jack en désignant ce dernier d'un geste de l'épaule.

Jeremy ne voyait rien. Il apercevait les rochers escarpés des montagnes, les troncs de grands arbres, ainsi que des feuilles. Il avait cependant déjà entendu parler du Big Moose, même s'il n'avait pas le souvenir d'y être allé auparavant. Le lac Chahta se trouvait à Fort Keeps et derrière son ancienne maison, il y avait un ruisseau nommé Pigeon Creek qui coulait comme une rivière au printemps et se déversait dans la plupart des lacs de la région.

Jeremy n'avait pas reconnu le panneau de signalisation. L'inscription *Bienvenue à Fort Keeps* était sculptée dans le bois, tandis qu'une plaque rectangulaire de couleur verte portait la mention *Bienvenue*. L'appellation *Fort Keeps* se composait de lettres en relief. Des pins et des ours bruns étaient gravés autour des mots en guise de symbole.

Jeremy était de retour chez lui.

— Oncle Jack ?

Jeremy changea de position et se tourna vers ce dernier.

— Où est-ce que tu habites ?

Jack éclata d'un rire qui ressemblait davantage à un grognement.

— Quoi ? Tu plaisantes ?

Jeremy secoua la tête et haussa les épaules.

— Je, euh, je ne crois pas.

— On vient juste d'en parler.

Le carrefour était pourvu d'un lampadaire et l'artère principale comportait quelques petits commerces.

Alors que je n'écoutais pas, pensa Jeremy.

— Eh bien, ouais, je sais. J'ai oublié.

— Tu avais l'esprit ailleurs, pas vrai ?

Jeremy songea à mentir.

— Oui. Désolé, avoua-t-il.

Jeremy avait reconnu la rue et même si certaines choses avaient changé, beaucoup étaient restées les mêmes que dans son souvenir.

Il y avait une quincaillerie, un restaurant, une salle de cinéma, un café, une boulangerie, une supérette qui faisait aussi station-service, un bar, une boutique de spiritueux, le bureau du shérif, une agence postale, une caserne de pompiers ainsi qu'un magasin de fournitures diverses. Les commodités portaient des appellations précédées de *Fort Keeps* ou bien de *Chahta*.

— C'est ici que tu vas travailler. Juste ici.

Jeremy avait oublié les noms de certains lieux. Il était sûr que plusieurs d'entre eux avaient changé. Le restaurant avait toutefois conservé la même apparence.

— *Chez Danny* ?

— C'est ça, *Chez Danny*. Et au bout de la route, tu vois, un peu plus loin ? C'est là que je travaille. À l'atelier de réparation automobile *Lead Foot*.

— Tu répares des voitures ?

— Toute la journée.

Pour la première fois, Jeremy remarqua des traces de cambouis sous les ongles de son oncle.

— Je ne disais pas ça pour critiquer.

— Je ne l'ai pas pris comme ça. Au fait, ce n'est pas un problème... pour la maison ? demanda ce dernier alors qu'ils traversaient la ville.

Arrivé au feu, Jack tourna à gauche. Aussitôt après, la route devint plus pentue et il dut rétrograder.

Jeremy sentit la sécheresse envahir sa bouche.

La ville avait l'air un peu différente. Le bel écriteau en bois sculpté n'évoquait rien en lui. Mais pas cette route.

— Je disais, reprit Jack, que tes parents t'ont tout légué dans leur testament. Ce n'est pas grand-chose : il y a la maison et de l'argent sur un compte dont tu pourras bénéficier à tes vingt et un ans. Ils m'avaient nommé exécuteur testamentaire. C'est juste du jargon juridique savant qui signifie que je gère les finances et tout le reste. Comme je ne possédais pas de logement fixe, le tribunal m'a autorisé à y vivre ; j'ai en effet apporté la preuve aux juges que je pourrais leur éviter d'embaucher des ouvriers de maintenance et les aider à réaliser des économies si…, eh bien, j'y emménageais.

— Emménager où ?

Le nœud était de retour dans son ventre.

— Dans ta maison, confia Jack.

Une image furtive surgit brusquement derrière ses globes oculaires. Il aperçut un plan de travail ensanglanté. Une marque rouge se détachait sur le demi-rideau qui ornait la petite fenêtre au-dessus de l'évier.

— J'y habite depuis environ six ans maintenant, ajouta Jack sans cesser de jeter des regards à son neveu.

Ils s'engagèrent sur une longue allée couverte de terre et de graviers.

— Tu vis ici ? Dans *ma* maison ?

Jeremy se sentait comme rigidifié par de la glace. Il ne pouvait ni mouvoir ses membres ni même cligner des yeux.

Devant lui, plus en hauteur, Jeremy aperçut une parcelle de pelouse bien entretenue ainsi que des escaliers en ciment. Ces derniers n'étaient plus fissurés et l'on avait installé une rampe de chaque côté. Le clin semblait fraîchement repeint. L'échelle et la bâche de son père étaient appuyées contre le pignon de la maison.

Jeremy avait gardé le souvenir du grand arbre de devant. Son père y avait suspendu une balançoire de sa fabrication munie d'une seule corde et d'une planche sur laquelle il pouvait s'asseoir. Il poussait alors Jeremy durant des heures. Il revoyait sa mère sur le porche qui riait en les regardant, les bras lâchement croisés. L'arbre se trouvait toujours là. La balançoire avait disparu.

— *Jer* ? Jeremy ? Est-ce que ça va ?

CHAPITRE CINQ

JEREMY COMMENÇA PAR SE RENDRE COMPTE qu'il se trouvait toujours assis à l'intérieur de la camionnette de son oncle. Le tissu de la ceinture de sécurité lui irritait le cou. La vision lui revint sous forme de tourbillons colorés et il tendit la main en direction du tableau de bord afin de retrouver l'équilibre. Lentement, tout devint plus distinct. La portière du passager était ouverte. Debout à ses côtés, l'oncle Jack le tenait par les épaules.

— Oncle Jack ?

Jack ne pouvait dissimuler son appréhension. Il écarquillait les yeux tandis que ses sourcils froncés d'inquiétude se rejoignaient comme une pyramide sous les plis de son front.

— Est-ce que ça va ?

— Je crois que je suis simplement fatigué.

C'était un mensonge flagrant. Jeremy se disait que son oncle en avait conscience, lui aussi. Pourtant, mentir lui semblait plus facile que d'admettre qu'il s'était évanoui. S'il voulait savoir combien de temps il était resté sans connaissance, il serait obligé de poser directement la question, et il n'en avait nullement l'intention.

— C'est juste que... le fait de quitter l'hôpital pour rentrer à la maison... m'a un peu bouleversé.

— Bien sûr. Je comprends, fit Jack en reculant d'un pas. Je t'ai préparé ton ancienne chambre. Tu y trouveras des draps et un couvre-lit neufs. Je t'ai aussi acheté de nouveaux jeans ainsi que des t-shirts. Mais bon, nous irons reporter tout ce qui n'est pas à ton goût et on te laissera choisir ce que tu préfères. C'est ce que j'aurais dû faire de toute façon. Je n'y ai pas réfléchi. J'avais envie que tout soit prêt pour ton arrivée. Combien de gosses aimeraient que leur oncle leur achète des vêtements pour la rentrée des classes ? Je suis désolé, Jer.

Jack lui envoyait des jeans et des t-shirts à St Mary's depuis plusieurs années.

— Je suis sûr que ça ira. Je veux dire que tu te débrouilles plutôt bien depuis tout ce temps, répondit Jeremy.

— Ouais ?

Jack se détendit enfin.

— Je n'ai rien eu à redire.

— Bien.

Jack hocha la tête avec approbation.

— Laisse-moi t'aider à récupérer tes affaires. Je vois que tu possèdes toujours la guitare. Tu en joues ?

— Tout le temps.

La guitare constituait sa thérapie. Même le docteur Burkhart reconnaissait que la musique était bénéfique à l'âme.

— « La musique est une loi morale. Elle donne une âme à nos cœurs, des ailes à la pensée, un essor à l'imagination. Elle est un charme à la tristesse, à la gaieté, à la vie, à toute chose. »

— Ça sort d'où ? Tu l'as inventé ?

— Moi ? Non. Le docteur Burkhart le disait tout le temps, mais je crois qu'il citait Platon.

— C'est un chien ? demanda Jack.

Jeremy se mit à rire.

— Un philosophe.

— C'était seulement pour t'embêter.

— J'espère bien, ajouta Jeremy, toujours hilare.

Il ne pouvait concevoir la vie sans cette guitare. Jack la lui avait envoyée comme cadeau de Noël l'année précédente.

— Mais plus sérieusement, cette guitare... est le plus beau cadeau que l'on m'ait jamais fait.

Seul Jack lui expédiait des cadeaux pour son anniversaire et pour Noël. Comme il le lui avait expliqué, ils ne pouvaient compter que l'un sur l'autre. Ils étaient, ils formaient une famille.

— Je m'étais dit qu'elle te plairait. J'en possédais une semblable quand j'avais ton âge.

— Tu en joues toujours ?

Jack prit une pose de rock star. Ses bottes soulevèrent de la poussière.

— Nan. J'ai appris quelques accords. J'ai joué le début de certaines chansons des Eagles et d'Elvis, puis le reste du temps, je rêvais seulement de faire sensation. Je ne savais pas à l'époque, mais sans répéter ou travailler dur, adieu les contrats d'enregistrement, les groupies et les tournées mondiales. Que ça te serve de leçon !

Jeremy se mit à rire.

— Compris.

— Viens. Entrons au frais.

————

Un sac à dos sur l'épaule et son étui à guitare dans la main, Jeremy suivit son oncle à l'intérieur de la maison. Aussitôt le seuil franchi, Jack s'immobilisa. Il souleva un porte-clés d'un crochet fixé au mur.

— C'est pour toi, expliqua Jack. À une certaine époque, personne dans les montagnes ne verrouillait ses portes, mais aujourd'hui, la délinquance est partout. Il n'y a qu'une seule clé pour la serrure et le pêne dormant.

Jeremy retourna l'anneau dans sa main.

— Mais il y a trois clés.

— Il y en a une pour ma camionnette. Ne l'utilise pas sans ma permission. Compris ?

Jeremy inclina la tête sur le côté.

— Je ne sais même pas conduire, donc ça ne devrait pas poser de problème.

— Va mettre tes affaires dans ta chambre. Ensuite, nous irons dehors. Je veux te montrer à quoi sert la troisième clé.

Jeremy resta immobile un instant, dans l'attente d'une explication. En l'absence de cette dernière, il traversa le salon et monta les escaliers en prenant soin d'éviter la cuisine.

La chambre de ses parents se trouvait au bout du couloir sur la gauche, en face de la salle de bain. La première porte à droite menait à la sienne tandis que la pièce réservée aux amis était située du côté opposé.

Jack devait avoir redonné un coup de peinture. Désormais dans les tons marron foncé, le corridor était agrémenté de moulures blanches. Il avait oublié la couleur précédente. Une petite table garnie d'une lampe ancienne posée sur un napperon ivoire trônait au centre. Jeremy appuya sur l'interrupteur en haut des escaliers. L'ampoule du plafonnier s'alluma. Il se dirigea vers la table et procéda de même avec la lampe. Aucune de ces lumières n'était nécessaire. Il poursuivit son chemin jusqu'à sa chambre tout en surveillant la porte fermée qui donnait sur celle de ses parents. Avant de pénétrer dans la pièce, il recula d'un pas et jeta un regard dans la chambre d'amis. Le lit était fait, mais des vêtements éparpillés jonchaient le sol tandis que d'autres étaient pliés et empilés dans un panier à linge près de la commode.

L'oncle Jack doit occuper cette pièce, pensa-t-il.

Jeremy poussa la porte de sa chambre. Il s'attendait à être assailli de souvenirs et s'était préparé à recevoir une surcharge sensorielle. Ce ne fut pas le cas.

Les murs lapis sentaient la peinture fraîche. Un couvre-lit doublé bleu et noir et des rideaux assortis complétaient l'ensemble. Une commode haute à six tiroirs se trouvait contre un mur près de la fenêtre ; une seconde, de forme horizontale, était adossée à la cloison qui jouxtait le placard.

— Allez, Jeremy !

Jeremy posa son sac sur le lit et appuya son étui à guitare contre le mur. Il s'approcha de la lucarne et observa la cour d'entrée. L'oncle Jack se tenait sur l'herbe et regardait dans sa direction tout en lui faisant des signes pour l'inciter à se dépêcher.

Il hocha la tête, s'éloigna de la fenêtre à reculons et se retourna.

Quelqu'un passa devant la porte ouverte de sa chambre.

Interloqué, Jeremy battit en retraite et se retrouva le dos au mur.

Il resta debout, à attendre.

À guetter.

Il n'osait ni bouger ni faire le moindre bruit.

37

Peut-être oncle Jack a-t-il un ami qui habite ici ?
Il m'en aurait parlé.
Non ?

Il essaya de se mouvoir. De faire un pas. Il ne parvenait pas à soulever son pied du sol. Il porta les mains à sa cuisse. Jeremy crut qu'il allait peut-être devoir déplacer physiquement sa jambe. Il se dirigea en chancelant vers la porte. Le moindre craquement du plancher le faisait s'immobiliser et tendre l'oreille.

Son cœur battait la chamade dans sa poitrine tandis qu'il prenait son courage à deux mains et regardait dans le couloir.

Les lumières s'éteignirent.

Il fit un autre pas en arrière. Il n'avait aucun problème lorsqu'il s'agissait de reculer. Aucun.

Son souffle se bloqua dans son thorax.

Quelqu'un d'énorme emplit l'embrasure de la porte.

— Jeremy !

Jeremy se mit à hurler.

— Non, non ! s'écria Jack, une main sur la poitrine. Je ne voulais pas te faire peur.

Jeremy s'assit sur le lit, haletant.

— Je ne m'attendais pas à te voir. Je te croyais dehors.

— J'y étais. J'ai patienté environ dix minutes.

Dix minutes ? C'était impossible. Il se trouvait dans sa chambre depuis seulement quelques secondes. Deux minutes, tout au plus.

— Je faisais juste un tour.

— Je sais. Je comprends. Mais puisque tu vas bien, viens donc.

Il avait l'air excité comme s'il n'arrivait pas à tenir en place.

— Ça va ?

— Ça va.

— Eh bien, viens alors !

Il sortit de la pièce en courant. Parvenu au bas des escaliers, il ne cessait de crier à Jeremy de le suivre.

Jeremy jeta un œil de chaque côté. Il n'y avait personne dans le couloir. La porte de la chambre de ses parents était cependant ouverte.

Il s'avança de quelques pas dans cette direction.

Une ombre traversa le mur à l'intérieur de la chambre et Jeremy recula, heurtant le coin de la table. La lampe vacilla. Il pivota rapidement sur ses talons et la rattrapa au vol.

La porte de la chambre claqua.

Jeremy se tourna vers le côté d'où provenait le bruit.

Le cordon de la lampe s'enroula et renversa la table, le faisant chuter en avant. La lampe se brisa sous lui et l'ampoule sauta. Il aperçut des points noirs se croiser devant ses yeux.

— Jer ?

Jack bondit dans les escaliers.

— Qu'est-ce qui t'est arrivé ?

— J'ai trébuché.

— Là. Laisse-moi t'aider.

Jack se saisit de la lampe cassée.

— Attention au verre. Tu sais quoi ? Pourquoi tu ne piquerais pas un somme ? Tu as dit que tu étais fatigué. Je n'aurais pas dû te faire courir comme ça. Je me suis juste emballé, tu comprends ? C'était égoïste de ma part.

Jeremy voulait réconforter son oncle, mais ne trouvait pas les mots.

Peut-être était-il épuisé.

Ses paumes le démangeaient.

— Je vais peut-être avoir besoin de mes médocs.

— Ah, ouais, renchérit Jack. Ils sont dans la cuisine. Laisse-moi aller les chercher. Je t'apporte de l'eau.

Jack releva Jeremy et l'aida à gagner sa chambre.

— Je crois que je vais m'allonger un petit moment.

— Tout à fait, Jer. Tu sais quoi ? Je vais préparer un bon dîner et on ne mangera pas trop tard. Je te ferai signe quand ce sera prêt. Reste ici. Je vais chercher tes médicaments. Je reviens tout de suite.

Lorsque Jack eut quitté la pièce, Jeremy s'adossa à la tête de lit. Il releva les genoux et enroula ses bras autour de ses jambes. Puis, il regarda en direction de la fenêtre.

Son esprit rejoua ce qu'il avait vu.

Ce qu'il avait cru voir.

C'étaient des souvenirs. Rien de plus.

Les souvenirs, cependant, ne faisaient pas claquer les portes ni s'éteindre les lumières.

Il s'arrêta de réfléchir et ferma hermétiquement les yeux. C'était son imagination. Le retour à la maison éveillait en lui des choses enfouies. C'était le plus plausible. C'était une explication recevable.

— Je ne sais pas trop desquels tu as besoin.

Jack tenait dans une main trois fioles de comprimés et dans l'autre, un verre d'eau agrémenté de glaçons. Il maniait chaque objet comme s'il était fragile et la manière dont il se penchait en avant donnait l'impression qu'il craignait de trébucher et de tout laisser tomber.

— Merci, fit Jeremy en se saisissant des flacons.

Jack posa l'eau sur un dessous de verre qu'il avait placé sur la table de chevet.

— Ça va ?

— J'ai seulement besoin de temps. Je crois que je ne m'attendais tout simplement pas à revenir ici.

— Je suis désolé, Jer. J'aurais peut-être dû en discuter avec Burkhart.

Jack regarda autour de lui.

— Je devrais peut-être l'appeler ?

Jeremy dévissa le bouchon du flacon de clonazépam et fit tomber un comprimé sur la paume de sa main.

— Ça va aller, je t'assure.

Jack s'empara du verre et le tendit à Jeremy.

— Repose-toi. Prends ton temps.

Jeremy porta le cachet à sa bouche, but l'eau à petites gorgées et replaça le verre sur la table de chevet. Alors que Jack s'apprêtait à franchir la porte, Jeremy l'interpella :

— Oncle Jack ?

Il se retourna.

— Pardon si j'ai gâché ta journée.

Jack revint dans la pièce et s'assit sur le bord du lit.

— Laisse-moi te dire quelque chose. Je suis tellement content que tu sois de retour. Tu n'as rien gâché. Les choses vont s'arranger. Je dois simplement garder à l'esprit que tu as besoin d'un temps d'adaptation. Je l'ai compris dorénavant.

— Merci, oncle Jack.

— Je suis heureux de t'avoir à la maison.

Jack s'arrêta près de la porte.

— Tu veux que je la laisse ouverte ?

Jeremy pensa à la personne qui était passée à côté de sa chambre quelques instants auparavant.

— Ferme-la, s'il te plaît.

Il tira doucement la porte jusqu'à ce que le loquet s'enclenche.

Jeremy s'allongea et tassa son oreiller. Puis, il la fixa du regard.

Au fond de lui, il s'attendait à voir le bouton tourner.

Il patienta.

Et patienta encore.

Enfin, il se positionna sur le côté droit et fit face à la fenêtre. Il sentit le contact humide et froid de la taie sur sa joue, et s'aperçut alors qu'il pleurait.

Il oublia ses larmes et ferma les yeux.

CHAPITRE SIX

JEREMY OUVRIT LES PAUPIÈRES. L'OBSCURITÉ LE
cernait. Tout cela n'était qu'un rêve. Tout. Il
reconnaissait cette odeur. Le climatiseur fonctionnait
et la chambre était imprégnée d'antiseptique.

Se trouvait-il à St Mary's ?

Il se redressa, posa une main sur sa tête, mais la
pièce continuait malgré tout de tournoyer lentement.
Étourdi, il se leva, tendit un bras et toucha un mur
pour regagner l'équilibre.

C'était faux. Il s'était trompé. Ce n'était pas St
Mary's.

Un éclair fusa alors qu'il se penchait vers la
fenêtre.

Dans le reflet de la vitre, il aperçut sa mère
debout derrière lui. Du sang lui couvrait la moitié du

visage. Le dos contre la lucarne, il se retourna pour lui faire face.

La pièce était plongée dans le noir complet. Il ne voyait pas le lit qu'il venait de quitter lorsque la foudre illumina pour la seconde fois le ciel à l'arrière-plan. Sa mère se tenait nez à nez avec lui, la bouche grande ouverte. Des asticots se répandirent tandis qu'elle tirait la langue et se mettait à crier...

Jeremy bondit dans son lit, les yeux écarquillés.

Il était couvert de sueur froide et sa chemise lui collait à la peau. Une main sur le cœur, il regarda autour de lui et aperçut les murs bleus.

Son étui à guitare était appuyé contre l'un d'entre eux.

La respiration saccadée, il s'empara de l'eau qui se trouvait à proximité. Les glaçons avaient fondu. Un anneau humide s'était formé sur le liège du dessous de verre. Sa main tremblait. Jeremy porta timidement une gorgée à ses lèvres, s'efforçant de contrôler l'attaque de panique qu'il sentait monter en lui.

C'était un cauchemar. Un simple cauchemar.

———

Jeremy dormit pendant près de deux heures. Son oncle leur avait servi un dîner tardif. Quand ils eurent terminé le repas, Jeremy débarrassa la table et mit les assiettes dans l'évier. Jack l'interrompit alors qu'il ouvrait le robinet d'eau.

— Ça peut attendre. Suis-moi.

À l'extérieur, le soleil avait parcouru la majeure partie du ciel et se trouvait désormais derrière les grands arbres à l'ouest de la propriété. Des ombres tapissaient notamment l'avant et l'arrière-cour. Jack se dirigea vers l'allée à grandes enjambées. Il s'immobilisa devant la porte du garage et fit face à son neveu.

— Prêt ?

— Mouais.

— Tu n'as pas l'air convaincu.

Les poings sur les côtes, Jack serra les mâchoires et se balança sur la pointe des pieds. Son visage s'éclaira et il se mit à ricaner.

— Je plaisante !

Jeremy doutait d'avoir compris en quoi consistait la blague, mais se força à rire poliment.

Jack se retourna, s'accroupit et releva la porte du garage.

— Alors ? Ça te plaît ? C'est pour toi. Ça t'appartient.

L'intérieur du garage était plein à craquer. Des draps blancs recouvraient des meubles et des boîtes empilées. On distinguait du matériel électrique fixé au mur par des chevilles ainsi qu'une grande caisse à outils rouge dans un coin. Un tracteur à gazon et une tondeuse manuelle étaient rangés côte à côte. Au centre de la pièce, comme mis bien en évidence, Jeremy aperçut le seul objet susceptible, selon lui, d'être son cadeau.

— La moto ? C'est à moi ?

— Eh bien, ce n'est pas une moto. C'est un scooter. Ne fais pas cette tête. Il peut monter jusqu'à cent quarante-cinq kilomètres-heure, même si tu n'as pas besoin de rouler à cette vitesse-là ici. Tu devrais tenir un mois avec un plein. Quand viendra l'hiver, il faudra qu'on songe à t'acheter quelque chose de mieux. Une voiture, par exemple. Mais je n'étais pas sûr que tu saches conduire.

Des images fugaces traversèrent l'esprit de Jeremy. Il était assis sur les genoux de son père dans une voiture aux vitres baissées. Les pneus crissaient sur le gravier d'un parking. Il agrippait fermement le volant des deux mains. Il distinguait à peine le dessus du capot de la voiture tandis que son père l'encourageait à manœuvrer le volant tantôt d'un côté, tantôt de l'autre.

— Je n'ai jamais conduit de voiture.

— Eh bien, c'est facile, rétorqua Jack en enfourchant le scooter. Pour démarrer, tourne ça dans ce sens-là. Pour t'arrêter, appuie ici. C'est un peu comme monter à vélo. Tu sais en faire ?

— Oui, acquiesça Jeremy.

— Qu'est-ce que tu en dis ? Tu veux l'essayer ?

— J'aimerais bien, ouais.

Jeremy ne chercha pas à dissimuler son sourire.

— J'espère bien ! Je réalise que c'est à toi, mais je m'en suis servi ces jours-ci. C'est plutôt sympa.

Il lança le casque à Jeremy.

— Surtout, porte bien ça tout le temps. Compris ?

Jeremy le retourna dans ses mains. C'était une idée saugrenue et il aurait l'air encore plus nunuche avec ce truc sur la tête. Il attacha cependant la sangle sous son menton.

— Promis.

— Encore une chose.

Jack sortit un téléphone portable de sa poche.

— C'est pour toi aussi. J'ai entré mon numéro dans les contacts. Tu sais t'en servir ?

Jeremy fit glisser son doigt sur l'écran. Ils avaient l'habitude d'utiliser des tablettes et des ordinateurs portables à l'hôpital.

— Oui.

— La réception n'est pas très bonne ici. Les appels sont souvent coupés et la vitesse de connexion est plutôt lente. C'est indispensable de nos jours, mais notre forfait est loin d'être illimité, donc fais attention. J'ai programmé une alerte pour être prévenu en cas de risque de dépassement...

— J'ai compris, oncle Jack.

— Monte.

Les pieds plantés au sol, Jeremy enfourcha le scooter.

Jack abaissa la visière et leva les deux pouces en l'air.

Jeremy la releva.

— Je te remercie beaucoup, oncle Jack. J'apprécie vraiment tout ce que tu as fait... tout ce que tu fais pour moi.

— Écoute. J'ai acheté le scooter par égoïsme. Je ne voulais pas t'entendre me supplier d'utiliser ma camionnette. J'ai pensé que je devais te trouver quelque chose pour tes déplacements. Tu le garderas jusqu'à ce que tu apprennes à conduire et que tu obtiennes ton permis en bonne et due forme. Quant au téléphone, il est indispensable comme je te l'ai dit. S'il y avait des cabines publiques à chaque coin de rue, je t'aurais donné un rouleau de pièces de vingt-cinq cents, ou quelque chose du genre.

— Mais, je n'ai pas besoin d'un permis pour conduire ça ?

— Je ne sais pas, fit Jack dans un haussement d'épaules. C'est possible. On ira se renseigner dans la semaine auprès du DMV[1] à Old Forge. D'accord ?

Jeremy tourna la clé dans le contact. Le moteur ronronna doucement. Au fond de lui, il s'attendait à l'entendre gronder bruyamment. De la fumée jaillit des tuyaux.

— Sympa, hein ?

— C'est plutôt cool, oncle Jack.

— Va faire un tour avec. Ne t'éloigne pas trop et reviens vite. Il y a beaucoup de cerfs par ici. Ils causent des dégâts considérables aux voitures. Heurte un cerf avec ça et je n'ose même pas imaginer le résultat.

Jack désigna la route.

— Surveille ta vitesse et fais attention aux cerfs. Allez. Fiche le camp !

Jeremy mit les gaz. Le scooter bondit vers l'avant. La roue de devant décolla du sol pendant que l'autre soulevait de la poussière et des cailloux. Jeremy chuta et atterrit sur le dos en haletant alors que l'air quittait précipitamment ses poumons.

Jack entreprit de récupérer le cyclomoteur qui s'était redressé et avait roulé sur quelques mètres avant de tomber sur le côté.

Il tendit ensuite la main à Jeremy et l'aida à se relever.

— Ça va ?

Il tenait Jeremy par les épaules et inspectait son corps à la recherche d'éventuelles blessures.

— Ça va. J'ai la honte, répondit ce dernier en ôtant son casque.

— Il m'est arrivé la même chose quand j'ai voulu l'essayer !

— Vraiment ? demanda Jeremy en coinçant le casque sous son bras.

Jack commença par acquiescer avant de secouer la tête.

— Nan, gamin. Pas vraiment.

Tous deux éclatèrent de rire et Jack posa la main sur le dos de Jeremy.

— Je, euh, vais te donner des cours demain. Qu'en dis-tu ?

— Bien, oncle Jack. C'est une bonne idée.

CHAPITRE SEPT

MARDI 6 SEPTEMBRE

L E   S O L E I L   M A T I N A L   É T A I T   T R O M P E U R : L A perspective d'effectuer son premier jour de travail ne réjouissait guère Jeremy. L'estomac dérangé, il passa presque toute la matinée dans la salle de bain et n'en sortit qu'après avoir vomi tripes et boyaux.

Jeremy avait consacré le dimanche et le lundi à s'entraîner sur le scooter. Il avait compris comment le faire rouler sans incident. Il ne méritait peut-être pas des éloges, mais les encouragements de Jack quant à sa modeste réussite lui avaient fait chaud au cœur. Ils avaient cuisiné des hot-dogs sur le gril le lundi et bavardé pendant la majeure partie de la soirée.

Jack semblait redouter le silence. Il ignorait si Jack manifestait de l'appréhension uniquement lorsqu'il se trouvait en *sa* compagnie, ou s'il se comportait comme ça avec tout le monde.

Des places de stationnement en épi bordaient la rue principale devant les petits commerces situés de chaque côté de la route. Jeremy se gara sur un emplacement libre en face de *Chez Danny*. Le restaurant était coincé entre la quincaillerie *Chahta* et le cinéma *Fort Keeps*.

Jeremy aimait beaucoup la devanture de l'établissement qui ressemblait à un wagon de train argenté.

La porte d'entrée s'ouvrit avec un tintement de clochette. Une femme vêtue d'un pantalon noir, d'un chemisier blanc et d'un tablier passa la tête à l'extérieur.

— C'est toi Jeremy Raines ?

— Oui, madame.

La femme sortit sur le trottoir et se redressa.

— Madame ? Écoute, range-toi à l'arrière. C'est là qu'on se gare.

— À l'arrière ?

Elle désigna la rue du doigt et courba le pouce.

— Compris ?

— Oui, fit Jeremy en enfourchant son scooter.

Sans attacher les sangles de son casque, il se dirigea vers le carrefour principal et tourna à droite avant d'obliquer une nouvelle fois à droite tout de suite après. Chaque commerce possédait ou partageait une benne à ordures. Quelques voitures étaient stationnées ici et là. Arrivé derrière *Chez*

Danny, Jeremy se rangea à côté d'une berline blanche rouillée.

Vêtu d'un jean et d'un t-shirt, Jeremy fit glisser ses mains le long de son pantalon et s'avança vers la porte de derrière. Métallique et de couleur verte, cette dernière était fermée. Il frappa et recula d'un pas. Lorsque personne ne répondit, il se décida à toquer une seconde fois.

La porte s'ouvrit en grinçant. Cette fois, un homme apparut. Il portait une toque blanche sur ses cheveux brun foncé – peut-être noirs – et un tablier blanc couvert de taches alimentaires par-dessus un t-shirt bleu marine. Bien rasé, il semblait avoir une quarantaine d'années.

— Raines ?

— Oui, monsieur.

— Pourquoi est-ce que tu frappes ?

— Pour qu'on me laisse entrer.

— Tu travailles ici, gamin. Ouvre donc la porte. Entre. Je vais t'emmener faire le tour du propriétaire.

Une fois Jeremy à l'intérieur, l'homme lui tendit la main.

— Barry Roth.

Jeremy lui serra la main.

— C'est moi qui dirige cet endroit. Il appartient à mon père, Danny. Il passe la plupart du temps dans le Nevada maintenant.

— Ravi de vous rencontrer, monsieur Roth.

— Ouais. Marsha vient de me parler de toi.

Appelle-moi Barry, ou Roth, ou bien encore « cuistot » ou « chef »... Je suis serveur, je prépare des œufs brouillés et je fais frire des hamburgers. Vaut mieux pas m'appeler chef. Je ne suis pas vraiment chef. Mais pas de « monsieur et madame » entre nous, d'accord ?

Le ton employé était empreint de sévérité. Jeremy avait compris le message et au fond de lui, il trouvait cela réconfortant. Il préférait davantage de familiarité.

— Entendu.

— Bien. Je vais te remettre un tablier, ajouta Barry.

Le tour du propriétaire ressemblait davantage à une visite guidée éclair.

— Les toilettes sont là-bas. Fais en sorte que les dévidoirs de papier hygiénique et d'essuie-tout restent toujours pleins et donne un coup de balai de temps à autre. En fin de soirée, vide les corbeilles et passe la serpillière sur le carrelage. Simple, non ?

— Oui, acquiesça Jeremy en se mordant la langue pour ne pas dire *monsieur*.

— Ouais ? Eh ben, c'est pas le cas. Les gens sont des sagouins. Tu as beau avoir affaire uniquement à des hommes et des femmes en costard, les toilettes finissent dans un état lamentable à la fin de la journée. Ils te foutent des boulettes de je ne sais quoi par terre et de l'urine partout. De gros dégueulasses. Pas un pour relever l'autre. Tu te demandes comment ça doit être chez eux. C'est tout ce que je dis.

Ils franchirent une porte battante et pénétrèrent dans la salle à manger.

— Voici Marsha, annonça Barry. Tu as déjà fait sa connaissance.

— Pas officiellement, corrigea-t-elle.

Les cheveux auburn de Marsha étaient relevés et elle avait le visage dégagé à l'exception de petites mèches bouclées qui lui tombaient près des oreilles. Ses longs ongles rouge-carmin étaient assortis à son brillant à lèvres. Avec ses yeux noisette et son nez étroit, Jeremy trouvait que Marsha ressemblait à Kendra, l'une des infirmières de l'hôpital. Il lui donnait la trentaine à elle aussi.

— Ravi de vous rencontrer, fit Jeremy en la saluant d'un hochement de tête.

— Comment est-ce qu'on doit t'appeler ? Jeremy ? Jer ? Raines ?

Il haussa les épaules et secoua la tête.

— Peu importe. Vous pouvez m'appeler Jeremy.

— Ouais ? Bien, alors. Pareil pour moi. Je préfère qu'on m'appelle Marsha. Pas Marsh. Ma mère m'appelle Marsh. Elle me bouffe avec ça et quand quelqu'un d'autre s'y met, ça a le don de m'exaspérer.

Elle se tapota les cheveux avec un crayon.

— Ce n'est pas la fin du monde si jamais ça t'échappe, mais sois gentil et retiens ta langue.

— Marsha, répéta-t-il comme pour s'entraîner.

— Nous avons une deuxième employée, Allana, qui assure le service du soir, expliqua Barry. Tu feras sa connaissance plus tard. Pour faire simple, en additionnant les douze tabourets fixes alignés devant le bar et les six box le long du mur de façade, on peut accueillir jusqu'à trente personnes. On en reçoit rarement autant, sauf le week-end pendant l'été et le dimanche, quand les gens viennent prendre le petit déjeuner ou le repas de midi après la messe. Le reste du temps, c'est plus tranquille. Derrière le comptoir, Marsha et Allana sont chargées du travail de préparation, du café, des desserts... ce genre de trucs. Toi et moi, on n'entre quasiment jamais dans la salle à manger. Tu vois les juke-box sur les tables ? Ils sont purement décoratifs. À une certaine époque, ils fonctionnaient. Il y en a bien un là-bas sur le mur, mais il est numérique. On peut y introduire des pièces, mais la plupart des gosses approvisionnent une application mobile et choisissent des chansons à diffuser comme ça. Nous deux, on est un peu les coulisses de cet endroit.

Barry fit signe à Jeremy d'approcher.

— Viens avec moi qu'on s'occupe de ta paperasse.

Jeremy suivit Barry à l'arrière. Une vitre dotée d'un encadrement en inox séparait le comptoir de préparation du gril. On y affichait les commandes passées et celles qui étaient prêtes. Une cloche d'appel en argent était posée à côté d'une grande spatule.

— Ça te plaît ? Tu vois ici ? C'est ma cuisinière. Elle est équipée de quatre brûleurs à gaz et d'une plaque chauffante de quatre-vingt-dix centimètres. Ce n'est ni du haut de gamme ni du neuf, mais je la nettoie régulièrement et elle fonctionne parfaitement.

Barry s'immobilisa un instant pour l'admirer.

— Elle comporte deux fours de soixante-six centimètres de large sur environ soixante-sept de profondeur qui atteignent les deux cent soixante degrés en un clin d'œil.

— Cool, fit Jeremy, complètement perdu.

Ses paroles semblaient avoir produit l'effet escompté, car Barry renchérit en hochant la tête.

— Très cool.

Le bureau se trouvait en face de la cuisine.

— Ton oncle Jack est l'un de mes bons amis. Nous avons grandi ensemble, expliqua Barry.

Il s'assit derrière une table de travail en acier disposée contre un mur sur lequel on apercevait un tableau d'affichage en liège avec un calendrier de planification. Un vieil ordinateur muni d'un écran à la fois imposant et lourd côtoyait des piles de papiers. Dans un coin de la pièce se trouvait un portant fixe pourvu de tabliers et de t-shirts bleu marine barrés de l'inscription *Chez Danny*.

— Je connaissais aussi ton père. C'était quelqu'un de bien.

— Merci.

Cela sonnait creux. Jeremy ne s'était jamais posé la question de savoir comment d'autres personnes avaient pu faire la connaissance de ses parents.

— Ouais. Bon, c'est bien que tu sois venu tôt aujourd'hui, ajouta Barry, mais à partir de maintenant, fais en sorte d'arriver vers onze heures. Onze heures et demie, même. On ferme à vingt et une heures et, une fois le nettoyage terminé, on s'en va d'ici vers vingt et une heures trente, vingt-deux heures au plus tard. Les journées sont longues, mais tu auras droit à un peu de pourboire en plus de ta paie. Au-delà de quarante heures travaillées, les heures supplémentaires sont majorées à cinquante pour cent. D'accord ?

— Entendu.

— Ton rôle consistera surtout à t'occuper de la vaisselle, des verres et des couverts. Je ne possède pas de machine sophistiquée. Je dispose d'un grand évier en inox à deux bacs. À ton arrivée, tout y sera empilé. Inutile de frapper à la porte : elle n'est pas verrouillée quand je suis là. Entre, enfile un tablier et mets-toi au boulot. Tu laveras la vaisselle, frotteras les casseroles et les poêles et si j'ai besoin de toi pour autre chose, je t'appellerai. Ce n'est pas glamour, mais c'est un travail décent et honnête. Maintenant, je veux que tu me remplisses ça, puis ton formulaire W-2[1] et ensuite, tu pourras commencer, ou alors tu peux revenir demain si tu préfères. À toi de décider.

— J'aimerais démarrer tout de suite si ça ne vous ennuie pas ?

— Au contraire. Ne te laisse pas déborder par la vaisselle du petit déjeuner et le reste de la journée te paraîtra plus tranquille.

Barry se leva. Il attrapa sur le portant un t-shirt plié à l'effigie du restaurant ainsi qu'un tablier.

— C'est pour toi. Assieds-toi. Je suis occupé au gril. Laisse les papiers sur le clavier de l'ordinateur et je m'en chargerai.

CHAPITRE HUIT

Jeremy s'arrêta dans l'allée. L'habitation était simplement agencée sur deux niveaux. Les chambres du premier étage se trouvaient au-dessus du garage. L'entrée donnait à droite sur le salon tandis que la cuisine et la véranda se situaient à l'arrière. Il rangea son scooter dans la remise et se traîna jusque dans la maison.

— Tu as eu une première journée chargée.

Installé dans le canapé, les pieds croisés sur un pouf et un ordinateur portable sur les genoux, Jack tenait la télécommande de la télévision dans une main et un verre de lait dans l'autre.

— J'ai gardé ton dîner enveloppé dans le micro-ondes. Ce n'est pas grand-chose.

— Barry m'a dit que je travaillerais de onze heures du matin environ jusqu'à la fermeture.

— Et les jours de repos ?

Jeremy se laissa tomber dans le fauteuil inclinable, mais s'assit en avant, près du bord.

— Il n'en a pas parlé.

— Tu dois éclaircir ça. Il n'y a rien de mal à travailler dur, mais tu n'as pas besoin de bosser sept jours par semaine. Il est bien parti pour hériter du restaurant et c'est pour ça qu'il turbine en continu. Mais puisqu'il t'embauche au salaire minimum, tu as bien droit à une journée de congé, ajouta Jack en lui adressant un clin d'œil. Je suis sûr qu'il a simplement oublié de t'en parler, mais mieux vaut que tu te renseignes demain.

— D'accord, acquiesça Jeremy en se levant. Est-ce que je peux dîner plus tard ? J'aimerais prendre une douche et aller me coucher.

— Absolument.

Jeremy brandit un sac.

— Barry t'a préparé un hamburger et des frites. Il a ajouté que c'était cadeau.

Jack laissa tomber la télécommande sur le coussin du canapé, se pencha en avant et s'empara du sac marron que tenait Jeremy.

— Je me disais que je reconnaissais cette odeur. Ça va être sympa que tu travailles au restaurant. Tu en veux la moitié ?

— Non, merci.

Jeremy leva les deux mains en l'air et recula lentement.

— J'ai juste envie de me doucher et de dormir.

— Comme tu voudras, répondit Jack presque par obligation.

Il s'affairait à déballer les frites et à sortir du sac marron un hamburger enveloppé de papier paraffiné dont il avala une grosse bouchée.

— Je ne te verrai sûrement pas demain matin. Alors bonne nuit.

———

Jeremy resta sous la douche pendant un temps fou ; il se balançait d'avant en arrière sur ses pieds et ses paupières s'alourdirent. Le jet d'eau massant le faisait dormir debout. De la vapeur remplissait la salle de bain depuis le plafond jusqu'au sol.

Le bruit d'une porte qui se refermait le sortit de sa léthargie.

— Oncle Jack ?

Même à travers la buée qui envahissait la vitre de la douche, Jeremy distinguait une forme sombre et solide penchée au-dessus du lavabo qui semblait se regarder dans le miroir.

Il passa la main sur le verre dépoli, mais le design conçu pour préserver l'intimité lui permettait seulement d'entrevoir une silhouette noire d'encre.

— Oncle Jack ?

Jeremy ne voulait pas hausser le ton. Il parlait

d'une voix hésitante, presque chuchotée, mais cela suffisait.

La tête de la *créature* pivota.

Qui que ce fût, elle l'observait.

Jeremy trébucha en arrière et ses pieds glissèrent dans le bac humide en acrylique. Il perdit l'équilibre et ses omoplates heurtèrent la faïence murale. Il tendit brusquement la main droite et agrippa la pomme de douche. L'angle du jet se trouva modifié, pulvérisant de l'eau chaude sur ses cuisses tandis que la salle de bain se remplissait davantage de vapeur.

La chose vint se plaquer en vitesse contre le verre.

Tu n'iras nulle part !

La voix en question était précipitée, grave, mais faible. On aurait cru que quelqu'un s'était approché de lui et lui avait susurré ces paroles au creux de l'oreille.

La silhouette se colla aux portes de la douche. Des filets de noirceur se répandirent et se hissèrent silencieusement sur le dessus de la cabine tels des centaines de longs doigts minces.

Jeremy pressa ses paumes contre ses oreilles et se laissa tomber au fond du bac. Il ne voulait plus entendre la voix. Plus jamais. La forme sombre s'éleva, flottant sur son corps recroquevillé telle une voile exposée au vent.

Incapable de fermer les yeux, de détourner le regard, ou même de crier, Jeremy l'observa qui virevoltait autour de lui avant de piquer une descente et de recouvrir sa chair humide et frissonnante.

La porte de la salle de bain s'ouvrit brusquement.

— Jeremy ?

Oncle Jack ?

Les ténèbres devinrent soudain translucides, permettant à Jeremy de voir à travers l'obscurité. Puis, la pièce se remplit d'une clarté lumineuse.

La vapeur s'était presque entièrement dissipée.

La porte vitrée s'ouvrit à son tour.

— Jeremy ! Que s'est-il passé ? demanda Jack en fermant le robinet.

— J'ai glissé et je suis tombé.

— Tu t'es cogné la tête ?

Jeremy voulait une serviette.

— J'ai juste besoin d'aide pour me relever.

— L'eau était bouillante, pourtant tu es glacé.

Jack remit son neveu sur ses pieds et lui tendit la serviette.

— Tu frissonnes, ajouta-t-il.

— Je crois que j'ai utilisé toute l'eau chaude.

Il avait les jambes roses et à vif. Ce serait un miracle s'il ne souffrait pas de brûlures du deuxième degré.

— Allez, laisse-moi t'aider.

Jack conduisit Jeremy dans sa chambre. L'expression affichée par son oncle en disait long : ce dernier voulait savoir si quelque chose clochait. Lui aussi méritait une réponse.

Jeremy était résolu à garder pour lui ce qui venait de se passer dans la salle de bain.

Il serait de retour à St Mary's avant demain matin.

— J'étais fatigué et j'ai glissé. J'ai toujours été un peu empoté. Je ne vois pas pourquoi ça changerait maintenant.

Il ne pouvait lui fournir une meilleure explication. C'était la pure vérité.

— Tu as besoin de quelque chose ? demanda Jack en posant les yeux sur la table de chevet.

Jeremy ne s'attendait pas à passer une si longue journée. Il aurait dû prendre ses médicaments quelques heures plus tôt.

Le problème venait peut-être de là. Néanmoins, il s'abstint de se précipiter dessus comme un accro, ou son oncle risquait de soupçonner que quelque chose ne tournait *pas* rond.

— Je vais enfiler quelque chose et dormir.

— D'accord, acquiesça Jack. Je crois que je vais aller pioncer moi aussi.

Lorsque Jeremy se retrouva seul, il revêtit un short et un maillot de corps sans manches. Puis, il ouvrit la fenêtre pour laisser entrer une brise inexistante et se coucha.

Il resta immobile et fixa en silence l'éclairage du couloir qui filtrait sous la porte.

Une ombre bloqua la lumière avant d'obliquer

sur la droite, en direction de la chambre de l'oncle Jack.

Jeremy soupira.

L'ombre revint. Jeremy se redressa dans son lit. Il ne cessait de se répéter que c'était le fruit de son imagination. Cette fois-ci, la forme se dirigea vers la gauche.

Il perçut un léger *clic* et le couloir s'assombrit.

Jeremy ignorait qui se tenait devant la porte. Il entendit le parquet grincer.

— Dors bien, Jer. Passe une bonne journée au travail demain.

— Merci, oncle Jack. Toi aussi.

Jeremy se laissa retomber sur son oreiller. Son oncle devait sûrement remettre en question la décision de l'avoir autorisé à rentrer chez lui. Il ne voulait surtout pas lui créer d'ennuis, à lui comme à quiconque. Il leva un instant les yeux vers le plafond avant de conclure qu'en dépit de la chaleur et de l'humidité, il était préférable qu'il dorme avec la tête sous la couverture.

CHAPITRE NEUF

FORT KEEPS, ÉTAT DE NEW YORK — ADIRONDACKS — OCTOBRE 1912

— Si cela ne vous dérange pas, Elissa, vous pouvez monter avec moi.

Le shérif O'Sullivan enfourcha son cheval et lui tendit la main. La crinière de sa jument brune était fraîchement coupée et soignée. Un étui qui renfermait un fusil pendait à des sangles attachées aux extrémités de la selle.

L'aspect le plus difficile de son travail consistait à annoncer de mauvaises nouvelles. La mort d'un enfant était la pire de toutes. Amener Elissa voir le corps n'était qu'une formalité. Il connaissait Alice depuis qu'elle était petite. Il se rappelait lui avoir rendu visite une ou deux fois et l'avoir aperçue assise dans les hautes herbes pendant que sa mère suspendait du linge sur une corde.

Bien qu'elle soit restée en chemise de nuit, Elissa

s'était enveloppée dans un long manteau de laine dont elle avait relevé le col. Il devrait lui tenir chaud, sauf si le vent venait à se lever. L'obscurité était froide au point de lui permettre d'entrevoir son propre souffle.

Elle jeta un regard vers sa grange.

— Ça vous évitera d'avoir à déranger vos chevaux, insista O'Sullivan.

La jument secoua la tête et agita les oreilles. Il adorait la manière dont elle semblait en phase avec ses réflexions. C'était le meilleur cheval qu'il ait jamais eu. Il se pencha en avant et tapota le cou musclé de l'animal.

— Ça ira, je pense.

Il lui tendit à nouveau la main et elle agrippa son avant-bras. Il la hissa sur la monture et elle prit place à l'autre extrémité de la selle, derrière lui.

— Ça va ?

— Comme on peut s'y attendre en pareilles circonstances.

Elle avait l'air fatiguée et frêle. Le shérif crut discerner un tremblement dans sa voix.

— Accrochez-vous bien.

Il donna un coup de pied à la jument, fit claquer les rênes et elle s'éloigna de chez Elissa au petit trot. Elle allait aussi vite qu'il le lui permettait. Le sol était dur et des tas de feuilles mortes retenaient l'humidité. Si elle glissait et finissait estropiée, il ne se le pardonnerait jamais. Se déplacer dans les montagnes était suffisamment difficile par temps idéal.

Une lune blanche étincelante éclairait la nuit, surplombant de grands arbres nus. La forêt s'animait de bruits nocturnes. Des hordes de grillons crécellaient et des grenouilles croassaient. Au-dessus de leurs têtes, des chauves-souris couinaient de temps à autre et l'on percevait le battement typique de leurs ailes qui s'agitaient : la chasse aux insectes venait de commencer.

O'Sullivan avait laissé un adjoint sur place pour surveiller le corps et en avait dépêché un second afin qu'il ramène le médecin.

La mort frappait dans les Adirondacks, mais elle était le plus souvent naturelle. Au cours de sa première année en tant que shérif, une rixe avait opposé deux hommes à la taverne locale. Après avoir cassé le bras de Trevin Smart, Gregory Finn l'avait battu presque à mort. Le barman les avait séparés et avait renvoyé Finn chez lui tandis que quelqu'un courait chercher le toubib. Smart avait survécu, mais il avait manqué de perdre son emploi à l'usine. Difficile en effet de travailler avec un bras en écharpe pendant six semaines. Une quinzaine de jours environ après l'altercation, Finn avait été victime d'une intrusion de domicile. Les vauriens avaient ligoté les membres de sa famille et les avaient laissés dans l'une des chambres du fond. Selon le toubib, Finn avait été battu à mort à l'aide de plusieurs objets contondants avant d'être pendu au chêne devant la maison. O'Sullivan avait rapidement arrêté les suspects : les deux frères aînés de Smart traînaient une réputation de têtes brûlées et n'avaient pas mis longtemps pour chercher à venger leur cadet. Après être passés aux aveux, les Smart avaient été jugés et condamnés à la perpétuité au centre pénitentiaire de l'État de l'Est en Pennsylvanie. L'isolement presque total dont ils faisaient l'objet empêchait tout contact entre eux, tant à l'intérieur qu'à l'extérieur des murs de la prison. L'affaire tout entière avait été résolue à peine un mois après la rixe initiale.

Cela s'était produit il y a un peu plus de dix ans et pas un seul meurtre n'avait été à déplorer depuis. Cette mort paraissait suspecte à O'Sullivan. Alice avait treize ou quatorze ans. Le cadavre était nu. Des égratignures et des ecchymoses semblaient avoir été causées post mortem.

Plus loin devant eux, des lanternes étaient accrochées à des branches d'arbres. Trois hommes se trouvaient près du corps.

Le shérif O'Sullivan prit une profonde inspiration alors qu'il tirait sur la bride. Sa jument ralentit. Il aida Elissa à descendre de la monture. Elle agrippa son bras et se laissa glisser.

Il mit pied à terre et, tenant les rênes d'une main, la prévint :

— Il faut vous préparer maintenant.

Elissa avait les yeux écarquillés. Des larmes

s'échappaient des coins et venaient mouiller ses joues. Une moue se dessina sur son visage tandis que ses lèvres se mettaient à trembler.

— Je ne pense pas pouvoir aller jusque là-bas. Je... je ne suis pas sûre d'en être capable.

— Nous allons nous y rendre ensemble.

Agglutinés les uns aux autres, les hommes se tenaient devant le cadavre, le regard rivé sur le shérif et Elissa.

— Ensuite, je vous reconduirai à la maison.

Il observa Elissa qui réfléchissait à ses paroles. Il n'avait pas vraiment le choix : elle se trouvait là, elle identifierait le corps et il la ramènerait chez elle. Son enquête commençait à peine tandis que c'était pour elle le début de la fin du monde. Cela semblait injuste et illogique. Telle était la vie parfois. C'était affreux lorsqu'elle prenait quelqu'un par surprise et le laissait impuissant et en proie au désespoir.

— Elissa, fit-il doucement en lui donnant un léger coup de coude pour qu'elle réagisse.

Ils s'avancèrent à pas menus.

Elle attrapa fermement son bras et lui emboîta le pas. Il savait qu'elle utilisait son corps comme bouclier. Rien ne pourrait l'empêcher de voir la vérité en face. Les cauchemars la hanteraient pour le restant de ses jours. S'il pouvait entreprendre quelque chose pour conjurer la douleur et la souffrance qui allaient bientôt s'abattre sur cette pauvre femme, alors il s'y emploierait. Il n'y avait cependant rien à faire.

À part lui rendre justice.

Il pouvait lui promettre de retrouver le ou les responsables.

Dans certains cas, tourner la page s'avérait en quelque sorte apaisant. Dans d'autres, cela restait sans effet.

Les hommes enlevèrent leurs chapeaux et les maintinrent respectueusement contre leur poitrine avant de s'écarter pour permettre à O'Sullivan et à Elissa de voir le corps.

Elissa se détourna et s'accrocha au shérif. Elle agrippa sa chemise à deux mains et pleura contre son torse.

— C'est Alice ! C'est ma fille !

CHAPITRE DIX

MERCREDI 7 SEPTEMBRE

— Tu as fait du bon boulot ce soir, Jeremy, le félicita Barry Roth en verrouillant les portes du restaurant.

Jeremy était épuisé : les piles de vaisselle sale n'avaient cessé d'affluer. Il suffoquait sous l'effet de la chaleur des fours, de l'eau chaude et du travail de la journée. Ses vêtements humides de sueur collaient à son corps. Il avait hâte de rentrer à la maison et de se doucher. Il sourit en pensant au jet glacé qui se déverserait sur sa tête. Il enfourcha son scooter et enfila son casque.

— Merci.

— Fais attention sur ce machin. Les cerfs sont nombreux en cette période de l'année.

— Oui, monsieur.

Barry décocha un regard à Jeremy.

— Barry, je veux dire. Oui, Barry. C'est promis, ajouta-t-il en démarrant le moteur avec sa clé.

Barry grimpa à bord d'une camionnette et quitta le parking pendant que Jeremy ajustait les sangles sous son menton. Il crevait de chaleur et le casque n'arrangeait rien. Il avait bien envie de rouler sans le porter, mais son oncle le tuerait s'il l'apprenait.

Il entendit du vacarme qui provenait de la rue. Il s'avança jusqu'à la sortie du parking situé derrière le restaurant et regarda dans les deux sens. Ne voyant rien, il se dirigea vers l'artère principale. Une voiture était garée devant l'un des magasins et une femme repoussait un homme.

L'estomac de Jeremy se noua.

Le type tenait la femme par le bras. La portière du véhicule était ouverte du côté passager.

— Monte immédiatement dans la voiture, Greta.

Jeremy tourna la tête à gauche puis à droite. Il n'y avait personne pour l'aider.

Sauf lui.

— Kevin arrête ! Ça suffit !

Jeremy s'approcha, les pieds plantés au sol et les mains sur le guidon.

— Il y a un problème ?

Kevin se retourna brusquement et lâcha Greta.

— Qu'est-ce que t'as dit ?

Kevin mesurait presque un mètre quatre-vingts. Ses cheveux blond foncé arboraient une coupe de style militaire. Il portait un jean ample et un t-shirt gris ultra moulant à l'effigie d'un groupe de rock qui mettait en valeur ses muscles, lesquels résultaient d'innombrables heures passées dans une salle de sport.

— Je... euh... je me demandais juste ce qui n'allait pas.

— Qu'est-ce que tu crois ? aboya Kevin en serrant les poings.

— On dirait que vous essayez de faire monter de force cette fille dans votre voiture, répliqua Jeremy dans un haussement de sourcils. Et elle ne veut pas vous suivre.

— Tu sais quoi ? Dégage ! Rentre chez toi sur ta pétoire et j'oublierai que tu viens de fourrer le nez dans mes affaires.

Kevin pivota sur ses talons et fit face à Greta.

— Ça la concerne, elle aussi.

Jeremy regarda fixement Greta. Elle ne le quittait pas des yeux et semblait implorer silencieusement son aide.

— Quoi ? cracha Kevin en se retournant.

— J'accepte de m'en aller.

Jeremy désigna Greta.

— Mais qu'est-ce qu'elle veut ?

— Je vais l'accompagner, répondit-elle.

Ses longs cheveux foncés et raides lui tombaient bien en dessous des épaules. Ils étaient en partie cachés derrière son oreille gauche. Elle semblait le fixer de ses grands yeux bruns.

— Tout va bien, ajouta-t-elle.

— Tu as vu ? lança Kevin. C'est juste un malentendu. Et maintenant, va te faire foutre.

— Vous en êtes sûre ? demanda Jeremy à Greta.

Elle se dirigea vers la voiture et posa les mains sur la portière ouverte.

— Oui. Merci.

Kevin gagna le côté conducteur.

— Toi, monte. Et toi, fit-il en pointant Jeremy du doigt, fous le camp, compris ?

———

Jeremy rangea son scooter dans le garage. L'adrénaline, telle de l'électricité, parcourait son corps. Son estomac incommodé se retourna dans son ventre et de la bile reflua jusque dans sa gorge. Il ressentait des brûlures, mais s'estimait heureux de ne pas avoir vomi.

Il n'aurait pas dû laisser les choses en l'état. Greta ne voulait pas monter dans la voiture. Il avait l'impression qu'elle s'était résignée uniquement pour lui éviter de finir piétiné par Kevin. *Elle* l'avait sauvé et non l'inverse.

À l'intérieur de la maison, la lueur d'une bougie provenait de la cuisine.

Jeremy y passait le moins de temps possible. Les souvenirs de cette pièce lui revenaient par vagues qui lui occasionnaient des pertes d'équilibre et lui donnaient la nausée. Dans la mesure où il souffrait déjà d'aigreurs d'estomac, il n'était pas sûr de vouloir y entrer.

— Oncle Jack ?

Il perçut le tintement de verres qui s'entrechoquaient.

Jeremy posa son casque sur le canapé.

— Oncle Jack ?

Il avait la sensation inébranlable d'être observé et regarda en haut des escaliers sur la gauche. À l'étage, le couloir était plongé dans la pénombre. Il crut que quelqu'un l'examinait dans l'obscurité.

Immobile, il attendit.

Si quelque chose venait à bouger, il sortirait de la maison en courant.

Il entendit tinter à nouveau.

Cela provenait de la cuisine. C'est alors qu'il perçut un autre son : celui d'un sanglot.

— Oncle Jack ?

Jeremy sentit sa bouche devenir sèche. Il ignorait s'il appelait son oncle, ou bien s'il chuchotait. Il s'avança timidement.

Il aperçut deux bougies allumées au centre de la table. Les flammes dansaient et des ombres vacillaient sur les murs.

Encore un pas.

Il découvrit Jack accoudé à la table, une bouteille de whisky et un verre à liqueur devant lui. Sa tête baissée reposait dans le creux de sa main.

— Oncle Jack, ça va ?

Le salon donnait sur la cuisine. Juste en face, on apercevait un placard et un réfrigérateur au-delà duquel se trouvait la porte qui s'ouvrait sur l'extérieur. La table occupait la partie droite de la pièce. Tout autour, se dressait un plan de travail agrémenté d'un évier que surmontait une fenêtre.

Du sang maculait les rideaux et le plan de travail.

Il y en avait également sur la table et sur le sol.

Une chaise était renversée.

Sa mère était morte entre la table et le plan de travail.

Son père gisait à ses pieds. Décédé, lui aussi.

Jeremy se figea.

— Je ne t'ai pas entendu entrer.

Il y avait un couteau sur le plancher, à côté du corps sans vie de sa mère. Il sentait une odeur d'urine et d'excréments.

— Jeremy ?

Jeremy cligna des yeux.

La cuisine n'était pas couverte de sang. Les cadavres de ses parents n'étaient pas étendus pêle-mêle sur le sol.

Une chaise glissa sur le linoléum.

— Je ne voulais pas que tu me voies comme ça, fit Jack en se levant.

— Est-ce que ça va ?

Son oncle venait de pleurer.

— Tu veux t'asseoir une minute ?

Jeremy n'en avait pas envie. Il souhaitait toujours prendre une douche froide, mais c'était pour une raison différente à présent. La sueur et la crasse du travail étaient presque oubliées.

— Assieds-toi, insista Jack en tirant une chaise.

Jeremy n'avait pas vraiment le choix. Il s'exécuta tandis que Jack ouvrait un placard pour en sortir un verre.

Lorsqu'ils furent attablés, Jack se servit une rasade de whisky et en versa deux doigts à Jeremy.

— As-tu déjà bu du whisky ?

On l'avait interné dans un établissement psychiatrique depuis l'âge de huit ans.

— Non.

Jack sourit et poussa devant son neveu le verre qu'il lui destinait.

— C'est un goût qui s'acquiert.

Jeremy regarda son oncle avaler d'une seule traite l'alcool ambré qui se trouvait dans le sien.

— J'étais juste assis là. Ça m'arrive parfois. Et je me suis laissé abattre, expliqua Jack.

Jeremy ignora le double whisky.

— Comment ça ?

— Je veux parler du passé. De mon frère. J'aurais aimé savoir ce qui lui traversait l'esprit.

Jeremy n'avait pas besoin de poser des questions supplémentaires pour obtenir des précisions. Il n'oublierait jamais le jour où il avait trouvé ses parents morts.

— Je n'y crois toujours pas. Je ne peux pas. D'autant plus que mon frère n'était pas un tueur. Il adorait ta maman. Il l'aimait. Il n'aurait jamais levé la main sur elle. Pour ensuite se suicider ? Il ne possédait ni fusil ni arme de poing. Je ne vois vraiment pas comment tout ça a pu arriver.

Il était tard dans la nuit. L'été battait son plein. Le bruit de ses parents qui se disputaient l'avait réveillé. Il les entendait se bagarrer et distinguait des éclats de voix. Après être sorti de sa chambre et avoir traversé le couloir, il avait compris que quelque chose ne tournait pas rond lorsque tout était devenu silencieux.

Arrivé au bas de l'escalier, il avait regardé autour de lui et jeté un coup d'œil dans la cuisine.

C'est alors qu'il avait vu l'arme.

Et entendu la détonation.

Son père s'était effondré, renversant une chaise.

Il se figea.

— Je suis désolé. Les choses doivent te sembler encore plus pénibles qu'à moi. Je le sais, merde. Et ça me brise aussi le cœur de me dire que tu les as trouvés comme ça.

Jeremy songea à se lever et à sortir. Il sentit sa poitrine se serrer tandis que sa respiration devenait laborieuse.

— J'ai besoin d'air.

Ses jambes ne lui obéissaient pas et il resta assis à la table.

— Désolé, fit Jack en remplissant son verre.

— Je dois juste aller prendre un peu l'air.

Au prix d'un effort considérable, Jeremy repoussa sa chaise et se leva.

Il ne voulait pas s'échapper par la porte de derrière. Quelque chose le dérangeait. Il avait le sentiment qu'un lien existait entre une partie de ses souvenirs et cette porte, mais qu'il n'était pas mentalement prêt à le découvrir.

La porte de derrière.

Jeremy quitta précipitamment la cuisine, traversa le salon en courant et sortit par la porte d'entrée.

L'air était frais, presque froid contre sa peau. Les nuages obscurcissaient presque entièrement la lune. Il avait l'impression que ses oreilles s'étaient débouchées et qu'il entendait plus distinctement. Les grillons, comme les grenouilles, semblaient plus nombreux. Les feuilles bruissaient sous l'effet d'une brise qui soufflait dans les branches des arbres.

Il se pencha en avant et posa les mains sur ses genoux. Il avait du mal à retrouver sa respiration. Ses médicaments étaient dans sa chambre et une fois de plus, il allait les prendre en retard.

Ça ne va pas, pensa-t-il. *Je devrais retourner à St Mary's. Je n'ai rien à faire ici. Je n'ai rien à faire à la maison.*

CHAPITRE ONZE

JEUDI 8 SEPTEMBRE

JEREMY SE CONCENTRA SUR LA VAISSELLE. ELLE ne lui occupait pas seulement les mains. S'il fixait son attention sur chacun de ses mouvements tandis qu'il passait l'éponge sur les résidus d'aliments séchés et incrustés, le temps s'écoulait plus vite. Il faisait en sorte de garder l'eau chaude et remplie de mousse, et mettait toujours les couverts de côté pour la fin. Il n'aimait pas les nettoyer et préférait encore s'occuper des assiettes, des casseroles et des poêles sales.

Barry avait besoin d'un lave-vaisselle. Pas d'un être humain, mais d'une machine. Cet investissement lui reviendrait sans doute moins cher au fil du temps que d'embaucher quelqu'un pour la main-d'œuvre. Jeremy se taisait : il se réjouissait d'avoir ce travail.

Du moins la plupart du temps.

Son certificat d'équivalence d'études secondaires

en poche, il se demandait ce qui l'attendait. Le destin lui réserverait-il autre chose ? Passerait-il la suite de son existence à habiter avec son oncle dans l'ancienne maison de ses parents tout en faisant la plonge pour un salaire de misère ? Il n'était de retour chez lui que depuis quelques jours et il était bien trop tôt pour dresser le bilan du reste de sa vie. Au-delà de Fort Keeps, un univers tout entier s'offrait à lui.

Lorsqu'il aurait dix-huit ans, il pourrait entreprendre ce que bon lui semblerait. C'était cependant là le problème : il n'avait pas la moindre idée de ce qu'il voulait faire. Il avait oublié le métier qu'il souhaitait exercer quand il était petit. Flic, peut-être. Ou bien pompier ?

À l'âge de huit ans, les enfants rêvaient-ils de devenir comptables ou dentistes ? En quoi cela avait-il de l'importance ? Pour décrocher un poste intéressant, il était nécessaire d'avoir suivi des études supérieures. Jeremy s'était plutôt bien débrouillé lorsqu'il avait pris des leçons à l'hôpital. Il obtenait toujours des notes au-dessus de la moyenne. Le certificat d'équivalence d'études secondaires lui avait paru facile : peut-être l'université était-elle à sa portée.

Avec un diplôme universitaire, il savait qu'il ne resterait pas très longtemps coincé à Fort Keeps ; ce ne serait que temporaire.

La porte battante s'ouvrit brusquement.

— Jeremy !

Jeremy se figea. Les muscles de ses épaules et de son dos se tendirent comme si on l'avait frappé derrière le crâne. Il laissa tomber l'éponge dans l'évier.

— Je ne voulais pas te faire peur, s'excusa Barry.

— Ce n'est rien.

— Écoute, le shérif est là et il aimerait te voir. Je l'ai invité à venir à l'arrière.

— Qu'est-ce qu'il me veut ? demanda Jeremy en passant le haut de la bretelle de son tablier par-dessus sa tête.

Barry jeta un regard derrière lui en direction du restaurant, avant de franchir la porte.

— J'espérais que tu serais en mesure de me le dire. Je connais ton oncle depuis longtemps. C'est un service que je lui rends, d'accord ? Jusqu'à présent, je n'ai pas à me plaindre : tu arrives à l'heure et tu te débrouilles bien. Mais je ne veux pas de la police ici. Tu comprends ?

— Oui, Barry.

— Tu as des problèmes ? Tu veux que j'appelle le garage et que je demande à Jack de venir ?

Jeremy secoua la tête.

— Non. Je n'ai rien fait de mal. Je ne suis allé nulle part sauf ici et à la maison.

Le sourire forcé de Barry ressemblait davantage à une grimace.

— D'accord, gamin. Mais je te préviens, si la

police commence à se pointer, je devrais me passer de toi. C'est la vie.

— Je suis sûr que ce n'est rien ; il doit s'agir d'un malentendu.

On frappa à la porte de derrière. Cette dernière était grande ouverte. Quand bien même il y aurait un peu de vent, la brise ne parvenait pas jusqu'à l'arrière du restaurant, privant l'endroit d'une fraîcheur qui faisait cruellement défaut.

Le shérif se tenait sur le seuil en bottes de travail brun clair, pantalon marron et chemise kaki. Son insigne en or représentant une étoile à cinq branches semblait avoir été lustré récemment. Il portait une ceinture en cuir noir affaissée sur la hanche droite. La crosse d'un pistolet dépassait de son holster.

Le souffle de Jeremy se bloqua dans sa poitrine. L'anxiété commençait à le gagner. Étendre les doigts, tout comme enlever certains vêtements, l'aidait parfois. Une sensation de malaise le submergea comme lors d'une crise de claustrophobie.

— Alors comme ça, les rumeurs *sont* avérées, déclara le shérif.

— C'est bon, shérif ? demanda Barry en regardant Jeremy d'un air soupçonneux. Ça va, gamin ?

Le shérif souriait.

— Ça ne prendra qu'une minute et je partirai dès que j'aurai fini.

— D'accord. Bien sûr, acquiesça Barry.

— J'ai entendu dire que tu avais eu une

altercation avec un jeune couple hier soir, commença le shérif lorsque la porte battante se fut refermée.

Ses paroles semblaient comme étouffées. Le cœur de Jeremy cognait vite et fort. Les pulsations résonnèrent dans sa tête, provoquant un martèlement entre ses oreilles.

— Est-ce que la dame a porté plainte ?

— La dame ? railla le shérif. Non. Kevin O'Sullivan m'a fait part de l'incident.

Jeremy fut surpris.

— Oh. Eh bien, tant mieux, je suppose.

— Tant mieux, tu crois ? ricana le shérif. Je ne vois pas comment tu peux penser que c'est une bonne chose. Mais c'est peut-être comme ça que fonctionne ton cerveau tordu et anormal.

Jeremy secoua la tête.

— Je ne comprends pas.

— Oui, c'est bien ce qu'il me semble. Écoute, ton oncle voulait que tu rentres à la maison. Après tout, tu es le dernier membre de sa famille et ainsi de suite. Crois-moi, je pige. Mais c'est une petite ville, ici. Nous n'avons pas l'habitude des fauteurs de trouble. Je ne sais pas si l'hôpital aurait dû te garder plus longtemps, ou quoi. Je veux seulement être clair sur un point.

Jeremy n'aimait pas la tournure que prenait la conversation. Le shérif s'avança vers lui, la main sur la crosse de son arme.

— Je crois que vous disposez de renseignements erronés, monsieur, protesta-t-il.

Le shérif l'interrompit et leva les bras en l'air, paumes vers Jeremy.

— Écoute-moi, gamin. Si jamais j'apprends que tu harcèles à nouveau les gens, peu importe qui, ça ira mal pour toi. Si c'est le cas, tu regretteras ta belle chambre chez les fous quand j'en aurai terminé avec toi. Tu finiras en cellule. En prison. C'est clair ?

— Monsieur...

— Compris ?

Il n'aurait pas le dernier mot. Jeremy savait que ce n'était pas la peine d'insister. Résolu, il acquiesça.

— Dis-le.

— J'ai compris.

— Je vais t'avoir à l'œil, Raines. Même si tu ne me vois pas, je serai dans les parages. Ne l'oublie pas.

Sans rien ajouter d'autre, le shérif se retourna et partit.

Jeremy tremblait de tout son corps.

La porte battante s'ouvrit brusquement. Barry se tenait devant lui, les bras croisés.

— Je n'ai rien fait, je le jure, plaida Jeremy qui ressentait le besoin de se défendre.

— Je sais. Maintenant, je le sais. Tu as eu un différend avec Kevin O'Sullivan ? demanda Barry en pinçant les lèvres.

— Il se battait avec une fille, expliqua Jeremy d'un hochement de tête.

— Greta Murray. C'est sa petite amie. Ces deux-là ont eu une relation mouvementée au lycée. Est-ce que tu connais le shérif ?

Ce dernier lui semblait familier. Quelque chose chez cet homme faisait tilt dans le cerveau de Jeremy et le faisait trembler intérieurement.

— Non. Pourquoi ?

— Il s'appelle Christopher O'Sullivan. C'est le père de Kevin. C'est le descendant d'une longue lignée de shérifs de cette ville qui remonte au milieu du XIXe siècle.

CHAPITRE DOUZE

FORT KEEPS, ÉTAT DE NEW YORK
— ADIRONDACKS — OCTOBRE 1912

LE SHÉRIF O'SULLIVAN N'ARRIVAIT PAS À SE réchauffer. Du café frais frémissait sur la flamme ouverte du poêle en fonte. Il souffla dans le creux de ses mains et les glissa sous ses aisselles.

— Alors, quelles nouvelles ?

— J'essaye de déterminer l'heure de la mort.

Alice se trouvait sur la table d'examen du docteur John Marr. Ses lunettes dorées baissées sur le nez, ce dernier plissa les yeux et leva un des bras de la victime.

— Malgré la froideur du corps, je crois qu'elle n'a pas encore dépassé les premiers stades de rigidité cadavérique. Je pense que la mort de la fille Crosby remonte entre trois et huit heures. Pas plus. J'ai aussi vérifié le dessous de ses ongles, mais je n'ai pas trouvé grand-chose.

O'Sullivan se versa une tasse de café et la tint dans ses deux mains, savourant la chaleur qu'elle lui procurait.

— Je ne vois pas en quoi examiner le dessous de ses ongles va nous avancer.

— Si elle s'était débattue contre un agresseur, expliqua Marr en ôtant ses lunettes, on constaterait probablement la présence de fragments de peau ou de sang sous les ongles.

Il fit mine de griffer l'air.

— Et à quoi cela va-t-il nous servir de trouver du sang ou des fragments de peau sous les ongles ? rétorqua le shérif en haussant le sourcil et les épaules.

— Ça donne un point de départ à l'enquête. Si j'arrive à démontrer qu'elle s'est défendue, alors vous pourrez peut-être orienter les recherches vers une personne porteuse d'égratignures récentes, ce qui réduirait le cercle des suspects. Le prévenu pourrait avoir des marques sur le visage ou sur le bras.

— Bonne idée. Très astucieux.

O'Sullivan dégusta son café et hocha la tête d'un air approbateur.

— Il est excellent, toubib, ajouta-t-il.

— Merci. Le fait de nettoyer tous les jours la bouilloire doit y être pour quelque chose, sourit Marr. Comment le corps a-t-il été découvert ?

— Nous nous sommes abstenus de la toucher et de la déplacer jusqu'à ce que vous arriviez.

Marr secoua la tête.

— Dans quelles circonstances a-t-elle été retrouvée ? C'est ce que je cherche à savoir. Par qui ?

— Par Parsons qui randonnait avec ses chiens. Un de ses labradors a dû capter l'odeur. Il a expliqué qu'ils l'avaient conduit directement à Alice.

— Avez-vous remarqué quelque chose qui cloche dans son histoire ? demanda Marr.

— Il a presque soixante-dix ans. Il se promène dans les montagnes avec ses chiens tous les soirs et n'emprunte jamais le même chemin, répondit O'Sullivan en haussant les épaules. Je n'écarte aucun suspect potentiel à ce stade, mais je pense que Parsons n'y est pour rien.

— Parsons. Ouais. Je partage cet avis. Je ne le crois pas non plus, renchérit Marr.

— D'accord. Et mis à part le fait que vous n'avez rien trouvé sous ses ongles, qu'avez-vous découvert ?

Marr remit ses lunettes en place. Il les avait remontées sur l'arête de son nez, mais elles glissèrent à nouveau lorsque le médecin se pencha pour soulever la tête de la jeune fille.

— Vous voyez ici, sous la masse de cheveux ?

— Du sang ?

— Séché. Elle a le crâne fracturé. Elle a dû développer un œdème cérébral qui a entraîné une hémorragie interne.

— C'est ce qui l'a tuée ?

O'Sullivan recula d'un pas et s'écarta du corps. La peau d'Alice était bleuie et contusionnée. Elle avait l'air raide et ressemblait à une poupée. Il ne cessait de regarder en direction de sa poitrine dans l'attente un peu folle de voir cette dernière se soulever puis retomber, comme si elle vivait encore et respirait.

— On dirait.

— Et les égratignures et les marques sur son corps ?

O'Sullivan posa sa tasse. Même si cela le mettait mal à l'aise, il examina de plus près les jambes et le torse d'Alice, et désigna un endroit.

— Je veux parler de ça, derrière sa cuisse...

— Les marques de morsure ?

— Ce sont plus que des marques de morsure, toubib. Quelque chose lui a *mangé* une partie de la jambe.

O'Sullivan essuya par réflexe sa main sur le devant de sa chemise bien qu'il n'ait eu aucun contact direct avec le cadavre.

— On ne sait pas combien de temps elle est restée dans les bois. Après un premier examen, je parierais que le coupable est un raton laveur ou quelque chose de ce genre.

— Un raton laveur ?

— Ne prenez pas ça pour argent comptant. J'ai mesuré la taille de la zone et je l'ai consignée. La circonférence a l'air trop petite pour que ce soit un homme, une femme, ou même un enfant. Selon moi, ça ne ressemble pas du tout à une morsure humaine.

Le docteur John Marr fit le tour du corps et souleva sa tasse de café.

— Pourquoi est-ce que vous ne rentrez pas à la maison, shérif ? Vous ne servez à rien ici. Si je suis amené à faire une découverte stupéfiante, je passerai chez vous. Autrement, revenez demain matin.

Benji O'Sullivan se mordilla la lèvre.

— Vous voulez ajouter quelque chose, shérif ?

O'Sullivan désigna Alice et chercha maladroitement ses mots pendant un moment tandis qu'il faisait de son mieux pour formuler la question qui le taraudait.

— J'ai besoin de savoir. Est-ce qu'elle a été victime d'autre chose ?

Marr pinça les lèvres, mais secoua la tête.

— Je l'ai examinée. Son hymen était encore intact, ce qui ne signifie pas pour autant qu'elle était sexuellement inactive ou qu'elle n'a pas subi de sévices. Cela dit, le pourtour du vagin ne présentait aucun signe caractéristique. Donc la réponse est non. Je ne crois pas qu'on ait violé la fille d'Elissa.

Le shérif soupira. Il n'aurait toujours pas à se préoccuper de cela. Dès que l'annonce du meurtre d'Alice se répandrait, il ne saurait plus où donner de la tête. Si elle avait été violentée, cela n'aurait fait que rendre les gens encore plus fous de colère.

— C'est une bonne nouvelle, toubib. Je suis vraiment content de l'apprendre. Sincèrement.

Il ne pouvait se résoudre à rentrer chez lui : il

n'arriverait pas à trouver le sommeil. Il inclina son chapeau, laissa derrière lui son café et sortit dans la nuit.

Sa jument l'attendait, les rênes enroulées autour d'un poteau.

— Hé, ma fille, la cajola-t-il en lui tapotant le côté de la tête.

Il savait par où commencer son enquête lorsqu'il monta en selle. On avait retrouvé Alice sur des terres de la famille Gregory. Même s'il n'excluait personne, il ne croyait pas M. Gregory responsable. Ses fils, en revanche, s'étaient montrés plutôt chahuteurs ces derniers temps. Ils avaient un ou deux ans de plus qu'Alice et les hormones tournaient à plein régime chez les garçons de cet âge.

CHAPITRE TREIZE

JEUDI 8 SEPTEMBRE AU SOIR

Jeremy n'arrivait pas à dormir. Il s'assit dans son lit, le dos au mur. L'air frais et vivifiant de la nuit entrait par la fenêtre légèrement entrouverte. Tandis que la brise faisait s'agiter les rideaux, l'odeur d'un poêle à bois qui fonctionnait à proximité filtra jusque dans la pièce. On apercevait seulement la lueur d'un petit rayon de lune sur le sol.

Il avait choisi de ne pas parler à son oncle de sa rencontre avec le shérif. Jeremy ne voulait pas ajouter un poids supplémentaire au fardeau qui pesait sur les épaules de Jack, que la mort de son frère et de sa belle-sœur affectait toujours. La solution consistait à se tenir à l'écart de Kevin et de son père. Il ferait profil bas et s'efforcerait de passer inaperçu. À l'hôpital, il pouvait rester durablement invisible et cela ne lui avait posé aucun problème. Il avait aisément atteint ce niveau d'insignifiance. Le personnel consacrait son temps à s'occuper des patients qui exigeaient de l'attention, ce qui arrivait en permanence.

Jeremy laissa tomber ses coudes sur ses genoux relevés et enfouit son visage dans ses mains. Épuisé après une journée de travail longue et stressante, il ne devrait éprouver aucune difficulté à trouver le sommeil. Barry pensait qu'il n'avait rien à se reprocher : c'était le seul point positif. Tout aurait pu dégénérer si son patron avait pris le parti du shérif. Il était nouveau dans cette ville. Un étranger.

Non, ce n'était pas vrai.

Né et élevé à Fort Keeps, il était un habitant au même titre qu'eux. *En quelque sorte.*

Une lame de plancher se mit soudain à grincer.

Jeremy laissa retomber ses mains de son visage. Les yeux grands ouverts, il scruta les alentours. Au-delà de la lueur émise par le rayon de lune, on distinguait des nuances de noir de plus en plus sombres.

Il régnait une telle obscurité dans les coins de la chambre qu'ils semblaient sans limites. S'il trouvait le courage de s'y hasarder, il craignait de se retrouver face à des murs inexistants, de s'aventurer à l'infini dans d'autres pièces, d'atteindre de nouveaux royaumes, de traverser des mondes parallèles.

Il ne bougerait pas. Rien ne le ferait sortir du lit.

Il s'agissait d'une lame de plancher. Rien de plus.

Les maisons avaient tendance à craquer. Même les vieilles maisons. *Surtout* les vieilles maisons.

Il était fatigué. Voilà ce qui arrivait lorsque son corps refusait le sommeil dont il avait besoin.

Les flacons de comprimés posés sur sa table de chevet le narguaient.

Il ne se rappelait pas s'il avait oublié ou non ses médicaments. C'était impossible : il savait qu'il brûlait d'envie de les prendre au retour de son travail. Pour le moment, cependant, il ne s'en souvenait pas.

Encore un grincement.

Était-ce à nouveau le plancher ?

On ne le dirait pas. Pas cette fois.

Chaque partie de son être le poussait à fermer les yeux. Il avait déjà trouvé utile de se cacher sous les couvertures. Il avait tout lieu de penser que cela fonctionnerait à nouveau.

Il regarda fixement le sol juste derrière le pied de son lit, à l'endroit où le clair de lune s'étendait le plus loin possible dans la pièce, luttant futilement contre l'obscurité grandissante. Il était intérieurement convaincu que se tenir dans cette tache de lumière le sauverait.

Aucune menace ne pesait sur sa vie.

Ce n'était qu'un bruit. Rien de plus.

Il croyait ses bras prêts à repousser les couvertures et ses jambes disposées à détaler.

C'était de la folie. S'il se risquait à sortir du lit, il

se mettrait à courir sans relâche une fois enlacé par un rayon de lune et parviendrait jusqu'à la porte.

La poignée, cependant, ne tournerait pas.

La porte resterait désespérément fermée.

Non, pensa-t-il en secouant la tête. Il n'y avait aucune raison qu'elle ne s'ouvre pas. Et pourtant, il s'était persuadé du contraire. Le doute était semé dans son esprit. S'il n'était pas seul dans la pièce – et il n'y avait personne, absolument personne –, alors il était pris au piège.

La fenêtre représentait son unique échappatoire.

Non, s'admonesta-t-il sans cesser de secouer la tête. S'il se défenestrait, son oncle n'aurait d'autre choix que de le ramener à St Mary's.

Il est hors de question que je saute par la fenêtre !

La porte s'ouvrirait. S'il avait besoin de fuir cette pièce, la porte s'ouvrirait.

Au lieu de réagir, Jeremy resta silencieux dans son lit.

Il ignorait combien de temps s'était écoulé. Son téléphone était en train de recharger sur la commode.

Il compta mentalement : un, deux, trois, quatre.

Parvenu à trois cents, il s'arrêta. La situation lui échappait déjà. C'était ridicule. C'était sa maison. Sa chambre.

Il n'avait aucune raison d'avoir peur.

Ce qu'il avait vu, *ou plutôt ce qu'il avait cru voir*, lorsqu'il était arrivé ici pour la première fois s'expliquait. Revenir sur ces lieux était traumatisant et avait clairement ravivé en lui des souvenirs indésirables. Il savait que certaines... *choses*... étaient encore enfouies dans son esprit.

Plus tôt dans la journée, au restaurant, quelque chose avait failli se libérer : une image fugace, une anecdote douloureuse qu'il valait peut-être mieux se garder d'exhumer. Il avait reçu une décharge suffisante de stress pour l'instant. Son cerveau avait dû percevoir ses limites et le laisser tranquille.

Il s'en réjouissait.

Les séances individuelles et collectives offertes à St Mary's avaient effleuré les recoins d'un si grand nombre d'émotions refoulées que neuf ans de thérapie n'avaient pas réussi à mettre en lumière l'ensemble des évènements de cette terrible nuit. Peut-être que tout ne serait jamais révélé. Cette perspective suscitait en lui des doutes et des interrogations.

Avait-il besoin de se souvenir de tout afin d'être complètement guéri ?

Les médicaments qui se trouvaient à côté de lui indiquaient qu'il ne l'était pas entièrement et cette prise de conscience l'inquiéta.

Les sons. Les ombres. Le fantôme.

À moins d'être fou, comment pourrait-il ne pas remettre en question sa propre santé mentale ?

Ses paupières tressautèrent et il lutta pendant un moment supplémentaire.

Le silence persistant lui procurait un apaisant

sentiment de sécurité qui, s'il avait été plus alerte, n'aurait peut-être pas eu cet effet.

Tandis que le sommeil le gagnait et qu'il commençait à fermer les yeux, il distingua un mouvement dans l'ombre : une *forme* encore plus obscure se déplaçait à travers la pièce en direction du clair de lune.

Il les rouvrit brusquement.

Elle se trouvait nez à nez avec lui. Elle avait le visage blanchâtre et craquelé. Un voile laiteux recouvrait ses pupilles bleues injectées de sang.

Où est-elle ?

Dans la mesure où il s'était endormi en position assise, Jeremy ne pouvait pas reculer. Pour échapper à la femme, il bascula vers la gauche et tomba du matelas.

À plat ventre par terre, il l'entendit crier et leva les yeux.

Elle avait bondi pour l'attraper et atterri sur le lit. Ses bras et sa tête surgirent à proximité de son visage tandis qu'elle tendait la main afin de l'agripper. Ses doigts osseux aux longs ongles verts et couverts de saleté se cassèrent au contact de son crâne.

Il se traîna sur le sol, culbuta et se précipita à quatre pattes vers la porte sans pouvoir s'empêcher de regarder derrière lui.

Elle avait réussi à descendre du lit et le poursuivait.

Il agrippa le bouton de la porte. Son cœur battait

si fort qu'il craignait qu'il n'explose dans sa poitrine. Il savait cela possible si jamais cette dernière était verrouillée.

Il abaissa la poignée.

La porte s'ouvrit et il sortit en trébuchant de la chambre ; il essayait de se ressaisir lorsque la main de la femme jaillit hors de la pièce et se referma autour de sa cheville.

Elle le fit tomber. Son genou claqua sur le sol et il crut s'être fracturé la rotule. Sans se préoccuper de la douleur qui irradiait dans sa jambe, il avança tant bien que mal tout en lui donnant des coups de pied avec la seconde, restée libre.

— Oncle Jack ! Oncle Jack !

Il grimaça en sentant ses ongles lui entailler la chair. Il avait beau mobiliser toutes ses forces, elle prenait l'ascendant et l'entraînait à nouveau vers la chambre.

Il écarta les deux bras et se cramponna à l'encadrement.

Une main froide et moite agrippa chacune de ses jambes. Il avait l'impression qu'elle se hissait sur lui en même temps qu'elle le tirait.

Ses vêtements frottaient contre ses mollets. Il l'entendait respirer et sentait son souffle dans son dos.

Soudain, une porte s'ouvrit sur le palier.

La lumière d'une chambre éclaira le couloir.

— Jeremy ! Que se passe-t-il ?

Elle n'était plus là. En un instant, elle avait disparu.

Jeremy ne voulait pas prendre le risque de se faire attraper. Il se traîna hors de la pièce, luttant pour se relever. Il perdit l'équilibre et se cogna contre le mur.

— Elle est ici ! Dans ma chambre !

— De qui parles-tu ? demanda Jack en s'avançant.

Impuissant, Jeremy pointa sa propre chambre du doigt.

Sans hésitation, Jack y entra et appuya sur l'interrupteur.

— Il n'y a personne. Qu'est-ce que tu as vu ?

C'était un cauchemar. Il devait simplement s'agir d'un cauchemar.

Jeremy avait la bouche sèche et la sensation que sa langue était épaisse et gonflée.

— Je suis désolé, oncle Jack.

Ce dernier resta immobile un instant. Il inspecta la chambre du regard, puis ses yeux se posèrent sur son neveu.

— Ce n'est rien, mon garçon. Peut-être que te ramener ici n'était pas une très bonne idée.

— Non. C'est très bien comme ça. Ce n'est rien, je viens de faire un mauvais rêve...

— Jeremy.

— Je ne veux pas retourner à St Mary's.

Il ne s'était pas rendu compte de ce qu'il en

pensait jusqu'ici, mais il préférait vivre à Fort Keeps plutôt que d'être à l'hôpital.

— Je vais m'améliorer. Je ne te dérangerai pl...

— Jer. Je ne parlais pas de ta sortie de l'hôpital. Je ne le regrette pas. Je voulais dire que te ramener dans cette maison n'était peut-être pas très judicieux.

Jeremy ne savait pas trop quoi répondre à cela. Il resta donc silencieux, car il doutait lui aussi que ce soit une bonne idée.

CHAPITRE QUATORZE

LUNDI 19 SEPTEMBRE

Des ennuis guettaient Jeremy à l'extérieur.

Greta Murray était belle, et quand bien même lui adresser la parole pouvait constituer une erreur, elle l'attendait dans l'allée.

— Salut, lança-t-elle.

Il hocha la tête en guise de bonjour.

— Je serais venue plus tôt, mais...

Elle portait un sweat à capuche bleu marine sous une veste blanche et bouffante. Ses cheveux raides étaient toujours en partie dissimulés derrière son oreille. Elle se balançait d'avant en arrière, les mains fourrées dans son jean bleu.

Que peut-elle bien fabriquer ici ? se demandait Jeremy.

— Je viens seulement d'apprendre que Kevin a

dit à son père que tu nous avais harcelés, poursuivit-elle.

— Ce n'est rien, rétorqua-t-il tandis que des signaux d'avertissement, telles des fusées éclairantes rouges, clignotaient derrière ses globes oculaires. Ça me fait juste plaisir de savoir que tout va mieux entre toi et ton petit ami.

Elle cessa soudainement de se balancer.

— Ce n'est pas mon petit ami. J'ai rompu avec lui le soir où tu nous as vus. Il ne m'écoutait pas et n'arrêtait pas de maintenir que nous étions toujours ensemble.

— Ce ne sont pas mes affaires.

Jeremy passa devant elle et releva la porte du garage.

— J'essaie seulement de t'expliquer les choses.

— C'est inutile, rétorqua Jeremy en saisissant son casque.

— Tu n'as rien à craindre, tu sais. Il est sur la touche maintenant.

— Je n'ai pas peur, répliqua Jeremy en jetant un bref coup d'œil vers la maison.

Elle suivit son regard et parut perplexe lorsqu'elle ne vit rien.

— Voilà, je suis venue ici parce que je voulais te remercier. Ça peut sembler nunuche, j'en conviens, mais tu t'es montré courageux. Il fallait un sacré cran pour tenir tête à Kevin comme ça.

— Je ne savais pas qui il était.

Il enfourcha son scooter en prenant soin de baisser les yeux. S'il la regardait en face, il avait peur d'oublier de garder ses distances et de faire ainsi fi des signaux d'avertissement.

— Alors tu veux dire que si tu l'avais su, tu ne serais pas intervenu comme ça ?

— C'est toi qui le dis. Pas moi, objecta-t-il en levant les yeux.

— Tu as un autre casque ? demanda-t-elle en souriant.

Il consulta son téléphone.

— Je dois bientôt partir bosser.

— Ah ouais ? Tu travailles où ?

— Au restaurant *Chez Danny*.

— Je suis toujours fourrée là-bas, pourtant je ne t'ai jamais vu, souligna-t-elle.

— Je travaille à l'arrière.

— Tu cuisines avec Barry ?

Il soupira et, pour une raison quelconque, se sentit gêné.

— Je fais la plonge.

— Génial. Barry est un type bien. Je travaille juste en bas de la rue. Tu connais le café Paparazzi ? Mes parents en sont propriétaires. Tu y es déjà allé ?

Jeremy s'aperçut qu'il n'avait pas fréquenté la ville depuis son retour à la maison, excepté pour se rendre au travail. Il secoua la tête en signe de dénégation.

— Tu devrais aller y faire un tour. Le décor est

rempli d'objets de collection de célébrités. Mon père est plus qu'un cinéphile, c'est un fada de cinéma.

— Peut-être un jour, concéda Jeremy.

Il avait été hospitalisé, mais sans être pour autant coupé du reste du monde : il avait terminé ses études secondaires, regardé la télévision, vu des films, lu des livres et participé à des excursions journalières. Pourtant, il ne parvenait pas à expliquer ce qu'il ressentait lorsqu'on l'interrogeait. Il avait l'estomac noué et la paume des mains moite. À présent qu'il avait établi un contact visuel avec Greta, il éprouvait de plus en plus de difficultés à détourner les yeux. Elle ne cessait par ailleurs de lui sourire. Il ne pouvait cependant pas se permettre d'en pincer pour cette fille. C'était hors de question.

— Eh bien, fit Greta en scrutant l'allée, puisque tu dois partir, je ferais mieux de rentrer à la maison. J'ai un bon bout de chemin à parcourir à pied et je ne veux pas perdre mon seul jour de congé.

Jeremy soupira à nouveau. En dépit de tout bon sens, il lui tendit son casque.

Elle inclina légèrement la tête sur le côté et lui adressa un demi-sourire.

— Tu te proposes de me ramener chez moi ?
— Tu habites loin ?
— En fait, je suis ta plus proche voisine, répondit-elle en riant.

———

Lorsque Jeremy se gara sur le parking, Barry fumait une cigarette, appuyé contre la benne à ordures.

— Désolé d'être en retard, s'excusa Jeremy en coupant le contact de son cyclomoteur et en ôtant son casque.

Barry l'examina attentivement.

— Où est-ce que tu étais ?

Jeremy descendit du scooter, posa le casque sur le siège et répondit :

— J'ai dû raccompagner quelqu'un chez elle.

— Une fille ?

Il acquiesça.

Jeremy et Greta avaient échangé leurs numéros. Il n'avait jamais passé le moindre coup de fil à une fille auparavant et aucune ne l'avait appelé. Il était perturbé à l'idée de parler avec elle au téléphone.

Barry laissa tomber sa cigarette par terre, écrasa de son talon le mégot encore allumé, et sourit.

— Tu n'es pas en retard, gamin. Rendez-vous à l'intérieur.

Sur ce, Jeremy poussa un soupir de soulagement.

CHAPITRE QUINZE

Sa journée de travail parut interminable à Jeremy. Lorsque Barry eut verrouillé les portes et qu'il se retrouva dehors, il s'accorda un instant pour observer la lune qui scintillait dans un ciel noir d'encre.

— On ne voit pas d'étoiles comme ça quand on habite en ville. Il y a trop de pollution lumineuse, lança Barry. Tu as fait du très bon boulot ce soir. Tu ne t'es pas laissé déborder.

— Merci.

Barry se contenta de hocher la tête tout en agitant les clés qu'il tenait dans sa main.

— Eh bien, à demain.

— À demain.

Jeremy enfourcha son scooter. Comme à son habitude, il attendit que Barry sorte du parking situé derrière le restaurant avant de quitter son emplacement et de gagner la rue.

Plus tôt dans la journée, Greta lui avait envoyé plusieurs SMS. Il les avait lus lorsqu'il en avait eu l'occasion, sans y donner suite. Il ne savait pas trop quoi répondre. Elle le remerciait de l'avoir raccompagnée chez elle, lui offrait un café et un dessert gratuits s'il venait au Paparazzi et se demandait ce qu'il faisait ce soir.

Derrière lui, une voiture le suivait de trop près.

Il mit quelques instants à la reconnaître.

Il était tard. Il n'avait pas la moindre idée de ce que fabriquait Kevin O'Sullivan et cela ne l'intéressait pas. Il se rangea sur le bord de la chaussée et fit signe au véhicule de le dépasser.

Kevin se gara à son tour.

Le conducteur resta dans l'habitacle et actionna les feux de route. Aveuglé par la lumière des phares, Jeremy ne distinguait rien à travers le pare-brise. Tous deux demeurèrent ainsi sans bouger.

— C'est n'importe quoi, finit-il par dire à voix haute avant de reprendre le chemin de la maison.

La voiture le suivit, tous phares allumés, éblouissant Jeremy dans ses rétroviseurs. Cela ne l'empêchait pas de bien voir la route devant lui, mais il ne cessait de jeter un œil dans ces derniers. Il ne voulait pas courir le risque de regarder derrière lui par crainte de faire une embardée. Il avait l'impression que le pare-chocs s'apprêtait à heurter son pneu arrière. Il s'attendait à être renversé du scooter à tout moment, mais s'efforça de tenir bon.

Au moment où il quittait la route principale pour s'engager dans une rue perpendiculaire, le véhicule accéléra et le doubla à toute vitesse avant de se mettre en travers de la chaussée, lui barrant ainsi le passage. La portière du conducteur s'ouvrit. Kevin sortit de la voiture alors que Jeremy s'immobilisait à plusieurs mètres de distance.

Jeremy se cramponna aux guidons. La voiture de Kevin bloquait les deux voies, mais pas les trottoirs. Jeremy n'était en aucun cas piégé, d'autant plus que le scooter avait de la reprise. Il pensait toutefois Kevin capable de le faire descendre de force s'il essayait de contourner le véhicule.

— Où tu vas ? lança Kevin en croisant les bras et en s'adossant contre l'aile, la jambe relevée, le genou plié et le pied en appui sur un pneu.

Cela ressemblait fort à une question rhétorique. Kevin cherchait la bagarre et n'importe quelle parole prononcée par Jeremy suffirait à le mettre hors de lui. Lentement, ce dernier fit marche arrière sur son cyclomoteur et tourna le guidon. Mieux valait regagner la rue principale ; il était peu probable que Kevin le harcèle là-bas. Il n'aurait qu'à appeler son oncle pour qu'il vienne le récupérer.

Il entendit des bruits de pas derrière lui et mit les gaz.

Au moment même où le scooter bondissait vers

l'avant, une main agrippa le dos de son t-shirt imprégné de sueur. On le tira vers l'arrière et il tomba violemment sur le trottoir. La vive douleur qui émanait de son coccyx irradiait le long de sa colonne vertébrale pour redescendre dans ses jambes. Il roula sur le côté et se cambra en espérant que celle-ci finirait par s'atténuer.

— Tu n'iras nulle part.

Kevin était penché au-dessus de Jeremy et lui souriait d'un air narquois.

Jeremy aperçut son scooter quelques mètres plus loin. Avec un peu de chance, il n'avait pas souffert de dégâts irréversibles. Il se força à se relever et dépoussiéra son pantalon avant de se diriger vers son cyclomoteur sans mot dire.

Kevin se mit à rire.

— Quoi ? Tu es vraiment une grosse mauviette. Je te fais tomber de ta pétoire et toi, tu ne dis rien ?

Jeremy fit abstraction de ses moqueries et redressa son scooter. À première vue, il ne semblait pas endommagé.

— Ce n'est pas terminé.

À peine Jeremy installé sur le siège, Kevin bondit devant lui. À cheval sur le pneu avant, il agrippa le guidon.

— Laisse-moi partir, plaida Jeremy.

— *Laisse-moi partir !* railla Kevin en l'imitant. C'est hors de question. J'ai entendu dire que tu étais avec Greta tout à l'heure. Ouais, elle m'a tout raconté.

On s'est bien fichu de toi. Quand je pense que tu l'as raccompagnée sur ce machin comme si c'était une Harley ou un truc du genre. Elle m'a dit que tu étais complètement pathétique et cinglé.

La frustration n'était pas un sentiment nouveau pour lui. Elle habitait Jeremy au quotidien. À l'hôpital, quand il en avait la permission, il disparaissait dans sa chambre, se mettait au lit et se cachait. Le docteur Burkhart lui avait suggéré d'autres moyens de la gérer. Ce dernier voulait le voir énumérer ses réussites, pratiquer une activité physique, ou passer du temps en compagnie de gens qui le soutenaient. Il trouvait généralement plus satisfaisant de se dissimuler sous les couvertures, mais n'avait jamais fait part de cette vérité au médecin.

— Lâche-moi, tu veux ?

Alors qu'il ne s'y attendait pas, Kevin leva le poing en l'air et le frappa sous la mâchoire. Il se mordit la langue et fut projeté à terre sous l'effet du choc. Le scooter lui tomba sur la jambe et il sentit la chaleur du moteur le brûler à travers son jean. De son pied libre, il donna des coups à l'engin pour l'éloigner, recula en se traînant et dégagea son membre coincé.

Il empestait le jean, les cheveux et la chair carbonisés.

— Pourquoi tu ne laisses pas Greta tranquille ? Tu m'as cherché, mais tu ne pourras rien faire. Le cinglé, c'est toi. Je le sais, mon père le sait, et toute la ville aussi. Personne ne veut de toi ici. On raconte que tu es responsable de la mort de tes parents ; on te soupçonne même de les avoir tués. Fort Keeps n'a pas besoin d'un taré. Si je peux te donner un conseil, retourne à l'asile. Quitte cette ville. Va-t'en.

Kevin se redressa et asséna un coup de pied au visage de Jeremy. L'arrière de la tête de ce dernier claqua violemment par terre tandis que son casque rebondissait sur le trottoir.

Soudain, une sirène retentit et des gyrophares clignotèrent.

Jeremy se passa la main sous le nez pour essuyer le sang.

— Que se passe-t-il ici ? demanda le shérif O'Sullivan en descendant de sa voiture de patrouille.

— Ce type a perdu le contrôle de sa bécane. Je me suis arrêté pour voir s'il avait besoin d'aide, mentit Kevin en tendant le bras pour permettre à Jeremy de se relever.

Jeremy s'éloigna de lui et s'assit.

— Tu as bu ? questionna le shérif.

— Non, monsieur.

Jeremy posa les deux mains sur le genou de sa jambe blessée. Son jean était fichu. Il ne saignait pas, mais avait la peau boursouflée.

— On va devoir t'administrer un éthylotest, précisa le shérif en redressant le scooter et en le mettant sur sa béquille.

« On » ? Mais de qui parle-t-il ?

— Je viens de sortir du travail, expliqua Jeremy en se levant.

— Tu oses me tenir tête ?

— Non, monsieur.

— Tu refuses le test ?

— Non, monsieur.

— Non, monsieur, rit Kevin en imitant Jeremy.

— Ce sera tout, Kevin. Rentre à la maison.

— Mais papa...

— Retourne immédiatement à la maison, Kevin.

Jeremy observa Kevin remonter à bord de son véhicule et mettre le moteur en marche. De la fumée s'éleva du trottoir tandis qu'il démarrait en trombe avant de filer sur les chapeaux de roue.

— Tu as bu combien de verres ?

Jeremy ôta son casque.

— Aucun.

— Et la cause de l'accident ? demanda le shérif en regagnant sa voiture. Viens par ici.

Jeremy se dirigea en boitant vers O'Sullivan.

— Tu veux que j'appelle une ambulance ?

Jeremy pensait que c'était peut-être nécessaire, mais il avait envie de rentrer chez lui rapidement. Il pourrait soigner par lui-même ses brûlures et ses ecchymoses. Il ne souhaitait qu'une seule chose : être loin du shérif.

— Ça ira.

— Inspire profondément et souffle là-dedans, lui

ordonna le shérif en brandissant un appareil rectangulaire muni d'un tube à l'extrémité.

— Mais je n'ai pas bu...

— Alors tu n'as aucune raison d'avoir peur, n'est-ce pas ? rétorqua O'Sullivan en mettant brusquement l'embout sur le visage de Jeremy. Souffle !

Jeremy s'exécuta et la machine bipa.

Le shérif O'Sullivan plissa le front et fronça les sourcils.

— Je vais te verbaliser pour trouble à l'ordre public. Et je veux que tu retournes chez ton oncle.

— Trouble à l'ordre public ? Mais je n'ai rien fait !

— Baisse le ton ! aboya le shérif en désignant les bâtiments alentour. Nous avons suffisamment reçu de plaintes ce soir concernant ton rodéo dans les rues. C'est étonnant que tu ne te sois pas tué au passage. C'est peut-être un vélo amélioré, mais il a un moteur, ce qui le rend dangereux pour toi et pour les autres. Si tu ne fais pas plus attention que ça, je te confisquerai ce fichu truc.

Jeremy serra les dents et garda la bouche fermée.

— Tu as quelque chose à dire ?

Jeremy baissa les yeux.

— C'est mieux.

Le shérif s'installa sur le siège avant de sa voiture, laissa la portière ouverte et rédigea la contravention. Il arracha ensuite des feuilles de papier de son bloc-notes et les tendit à Jeremy.

— Voilà deux PV. Je t'en ai collé un pour le non-port du casque.

— Je portais mon casque.

— Je ne me souviens pas l'avoir vu sur ta tête quand je suis arrivé.

— Je venais de l'enlever !

— Écoute-moi. Tu es là depuis combien de temps ? Une semaine ? Ça fait déjà deux fois que je tombe sur toi. Je ne sais pas comment tu as réussi à sortir de St Mary's, mais je te préviens qu'ici, dans ma ville, je ne tolère pas les fauteurs de trouble.

Jeremy fourra les contraventions dans sa poche.

— Je peux y aller ?

— Tu sais quoi ? Ça vaudrait mieux pour toi, répliqua le shérif en secouant la tête.

CHAPITRE SEIZE

MARDI 20 SEPTEMBRE

JEREMY PRÊTA L'OREILLE. IL ENTENDIT LA PORTE d'entrée se refermer et la camionnette de Jack s'éloigner.

L'estomac en boule, il téléphona à son travail.

— Ici le restaurant *Chez Danny*.

Ce n'était pas Barry.

— Marsha ?

— Ouais ?

— C'est Jeremy, annonça-t-il en regardant par la fenêtre qui donnait derrière la maison.

— Que se passe-t-il, mon chou ?

Quelqu'un se cachait derrière les arbres. Il colla son nez à la vitre et constata la présence d'un individu.

— Jeremy ?

— Oui, pardon. Je ne peux pas venir aujourd'hui. Je suis malade.

Il tourna la tête de chaque côté, mais ne voyait pas mieux. Quelqu'un se tenait derrière un arbre aux abords de la propriété. Il en était certain.

— Barry n'est pas encore là.

Il n'avait pas envie de parler à son patron.

— Pourriez-vous lui dire de ma part ? Je retourne tout de suite me coucher.

Jeremy imagina Marsha qui secouait la tête.

Il avait le visage enflé et la lèvre fendue. Heureusement, Jack était au lit lorsqu'il était rentré à la maison hier soir. Son dîner était enveloppé et l'attendait dans le micro-ondes. Il l'avait emporté dans sa chambre au cas où Jack descendrait pendant qu'il mangeait.

— S'il vous plaît, plaida Jeremy.

— Bien sûr, mon chou. Soigne-toi bien.

Marsha ne semblait pas convaincue, mais il lui était reconnaissant de ne pas lui avoir donné du fil à retordre.

— Merci, je vais essayer, promit-il avant de mettre fin à l'appel et de quitter sa chambre.

Il sortit par la porte d'entrée en prenant soin d'éviter celle de la cuisine qui s'ouvrait sur l'arrière de l'habitation. L'air était vivifiant et frais. Le ciel gris annonçait de la pluie. Il aurait dû se munir d'une veste. Au lieu de cela, il s'enveloppa de ses bras et tourna à l'angle de la maison.

Une fois dans l'arrière-cour, Jeremy scruta la limite des arbres, guettant le moindre mouvement. Immobile, il patienta.

Lorsqu'il ne vit rien – ou plutôt personne – bouger, il se dirigea vers l'arbre derrière lequel il avait aperçu la personne se cacher.

L'herbe était couverte de rosée et l'humidité traversait ses baskets. Il avait les chaussettes et les pieds froids et détrempés.

Il perçut soudain un bruit : une branche venait de se casser.

— Je vous ai vu, vous savez. Je vous ai vu de ma fenêtre.

Jeremy s'immobilisa et attendit. Au-dessus de sa tête, un faucon se mit à huir. Il ne bougea pas d'un pouce et espérait avoir l'air courageux.

— Sortez de là !

Il était prêt à détaler en courant. Si quelque chose l'attaquait par surprise, il s'enfuirait.

Le sol craqua brusquement et quelqu'un jaillit de derrière l'arbre.

— Greta, murmura-t-il.

— Qu'est-ce qui est arrivé à ton visage ?

Elle se tenait les mains jointes devant elle. Son bras gauche et sa jambe étaient toujours en partie dissimulés derrière l'arbre.

Elle n'a rien à faire ici. Pourquoi s'est-elle faufilée ici en douce ?

Jeremy regarda par-dessus son épaule. Il croyait

peut-être à une embuscade. Après tout, Kevin lui avait dit qu'ils s'étaient moqués de lui.

— Qu'est-ce que tu fabriques ici ?

— Tu veux la vérité ? Ou tu préfères que je mente ?

Il n'était pas d'humeur à plaisanter.

— Va-t'en.

Elle s'avança vers lui. Son instinct lui dictait de courir, de ne pas se retourner, mais il demeura sur place sans bouger.

— Qu'est-ce qui est arrivé à ton visage ? répéta-t-elle.

— Je suis tombé de scooter.

— Est-ce que tu portais ton casque ? s'exclama-t-elle. Est-ce que ça va ?

— Pourquoi est-ce que tu te cachais derrière les arbres ?

— Comme tu ne répondais pas à mes textos, je me suis inquiétée.

Il n'en croyait pas un mot.

— Tu cherches encore des prétextes pour te moquer de moi avec Kevin ?

Elle se figea.

— Me moquer de toi ? Et que vient faire Kevin dans tout ça ?

— Pourquoi est-ce que tu n'es pas au travail ?

— Je suis en congé aujourd'hui.

Elle se trouvait à seulement quelques mètres de

lui. Elle leva le bras et traça avec son doigt des courbes dans l'air juste devant son visage.

— Est-ce que ça fait mal ?

— Je t'ai dit que ça allait.

C'était un piège. Kevin devait se cacher quelque part à proximité et les épier.

— Qu'est-ce que tu cherches ?

— Où est-ce qu'il est ?

Greta plissa le front et se retourna.

— De *qui* est-ce que tu parles ?

— De Kevin.

— Nous ne sortons plus ensemble. Je te l'ai déjà dit, répondit-elle en manquant de l'effleurer. C'est lui qui t'a fait ça ?

Il recula comme si elle avait la main en feu.

— J'ai eu un accident.

— Quel enfoiré !

— Laisse tomber. Il m'a tout raconté.

— *Tout* raconté à propos de quoi ?

Il ne voulait pas répéter ce qu'on lui avait dit. Le simple fait d'y penser était humiliant pour lui.

— Je dois rentrer. Je me suis fait porter pâle et je n'ai pas envie qu'on me voie ici.

— Tu t'es fait porter pâle ? Tu es malade ?

Il ne l'était pas.

— Je ne pouvais pas aller travailler aujourd'hui.

— À cause de ton œil au beurre noir et tout ça ?

Il n'avait pas l'œil au beurre noir lorsqu'il était

allé se coucher. Génial. Jamais il ne pourrait cacher cela à son oncle.

— C'est super.

— De quoi ? Que je me sois fait porter pâle ?

— Je ne travaille pas non plus aujourd'hui.

— Je ne peux rien faire. Si on me voit dehors, mon patron saura que je ne suis pas vraiment malade.

— Tu crois que Barry va venir te rendre visite pour vérifier si tu as menti ou pas ? rit-elle. Alors qu'est-ce que tu vas faire pendant toute la journée ? Tu vas rester au lit au cas où Barry sonnerait à la porte ?

Jeremy regarda en direction de la maison, leva les yeux vers la fenêtre de sa chambre et frissonna.

— Je n'y tiens pas trop.

— Mais pourquoi ?

Il secoua la tête et jeta une nouvelle fois un œil à sa fenêtre. Y avait-il quelqu'un dans la maison ? Kevin avait-il profité du fait que Greta détournait son attention pour se glisser à l'intérieur ?

— Qu'est-ce que tu mijotes ?

— Je ne mijote rien, protesta Greta en pinçant les lèvres.

— Il est dans la maison, n'est-ce pas ?

Sur ce, Jeremy fit volte-face et gagna le devant de l'habitation au pas de course.

— Tu boites ? lui demanda Greta qui était sur ses talons.

Sans lui prêter la moindre attention, il se précipita dans la maison et grimpa les escaliers.

— Il y a quelqu'un là-haut ? poursuivit-elle en lui emboîtant le pas. Qui as-tu vu ?

Jeremy ouvrit brusquement la porte de sa chambre, prêt à livrer bataille. Kevin était gonflé de pénétrer chez lui par effraction.

La pièce était vide.

— Il n'est pas là, haleta-t-il, debout sur le seuil.

— De qui est-ce que tu parles ?

— De Kevin.

— Qu'est-ce que Kevin viendrait faire ici ? Oh, tu joues de la guitare ?

Greta le bouscula au passage et posa l'étui qui renfermait l'instrument sur le lit.

— Tu veux bien me jouer une chanson ?

— Je vais te demander gentiment de partir.

Greta se redressa ; toute trace de gaieté avait disparu de son visage.

— Je ne sais pas ce que Kevin t'a raconté.

— Il m'a dit que vous vous moquiez de moi, avoua-t-il avec amertume.

— Ce n'est pas vrai. Je ne lui ai pas adressé la parole depuis le soir où tu nous as vus nous disputer. Il m'a appelée un millier de fois et m'a envoyé un nombre incalculable de textos. Mais je ne lui ai pas parlé. Je te le jure, lança-t-elle en levant deux doigts en l'air.

— Qu'est-ce que ça veut dire, ce signe avec les doigts ?

— C'est un truc de scout.

— Tu étais scout ?

— Non, grimaça-t-elle. Et toi ?

J'ai grandi à l'hôpital, pensa-t-il.

— Non.

— J'ai une question pour toi, souffla Greta en se retournant.

Elle avait attrapé sa guitare, ce qui déplaisait à Jeremy.

— Laquelle ?

— Qui as-tu aperçu à l'intérieur de la maison ?

Jeremy observa son haleine tourbillonner devant lui avant de se dissiper. Il grelotta et s'enveloppa de ses bras.

— Rien. Personne.

— Tu as vu quelque chose. Tu as cru que c'était Kevin. Qui d'autre habite ici ?

— Juste moi et mon oncle, expliqua-t-il.

— Je l'ai vu partir, donc en principe, il n'y a personne d'autre dans la maison.

Elle se tortilla et se passa la main sur les bras.

— Waouh, je viens d'avoir un frisson.

— Sortons.

— Mais il va pleuvoir, protesta-t-elle.

— Ne restons pas là, déclara Jeremy en maintenant ouverte la porte de sa chambre.

Greta ne bougea pas.

— C'est plutôt bizarre.

— Pardon ?

— Je veux parler de ton comportement. On dirait que tu as peur de quelque chose dans cette pièce.

Jeremy garda le silence.

— Je n'y crois pas. C'est donc ça : tu as peur.

Elle semblait ravie. Son large sourire laissait apparaître ses dents blanches.

— Tu as vu le fantôme, n'est-ce pas ?

Il demeura bouche bée.

— Est-ce qu'elle est ici ? Tu la vois ? demanda Greta en reculant contre le mur.

— Arrête.

Comment était-elle au courant ? Avait-elle remarqué quelque chose, elle aussi ? Il n'avait absolument pas envie de lui poser la question. Et si la réponse ne lui convenait pas ?

— C'est n'importe quoi.

— Est-ce qu'elle est parmi nous en ce moment ?

Greta ignora sa ruse et scruta la pièce, examinant le plafond et inspectant de près les coins.

— Sors de ma chambre et de cette maison, s'il te plaît, ordonna Jeremy en s'approchant d'elle.

— J'entends depuis toujours des histoires à ce sujet, mais je n'y ai jamais cru.

— Je ne plaisante pas, s'il te plaît.

La pièce s'était refroidie à un point tel qu'il pensa les fenêtres givrées. Il continuait d'apercevoir son haleine. Greta, cependant, n'y avait pas fait allusion et il ne voyait pas son souffle.

Était-il possible que tout cela soit le fruit de son imagination ?

Il avait passé d'innombrables séances de thérapie, à la fois en groupe et en tête à tête avec le docteur Burkhart, à discuter de la réalité et de la fiction.

Il savait ce qui était réel et ce qui ne l'était pas.

— Jeremy, murmura Greta.

Elle écarquilla les yeux, les mains jointes sous le menton.

— Jeremy.

Au même moment, la porte derrière Jeremy se referma en claquant.

Greta se mit à hurler.

CHAPITRE DIX-SEPT

FORT KEEPS, ÉTAT DE NEW YORK
— ADIRONDACKS — OCTOBRE 1912

LE SHÉRIF BENJI O'SULLIVAN RETOURNA SUR SON cheval à l'endroit où l'on avait découvert le corps de la fille Crosby. Il connaissait Alice et savait également qu'elle était, comme sa mère jadis, très attirante. De nombreux garçons perdaient la raison chaque fois qu'elle passait à côté d'eux. Il partait du principe que bien souvent, la beauté constituait autant un fléau qu'une aubaine.

Il devrait aller frapper aux portes, mais cela pouvait attendre. La nuit touchait presque à sa fin et le soleil allait bientôt se lever. Malgré le café qu'il avait bu chez le docteur Marr, il était frigorifié. Ce n'était pas seulement à cause de ce meurtre ; depuis un moment déjà, un froid persistant l'habitait et il avait toutes les peines du monde à se réchauffer.

L'absence de clair de lune renforçait l'obscurité.

O'Sullivan savait qu'il retrouverait sans difficulté le lieu de découverte du corps : ils avaient attaché des rubans au tronc des quatre arbres qui délimitaient l'endroit en guise de repère. Il descendit de sa monture, s'avança avec la jument et jeta les rênes autour d'une branche.

Il resta debout en dehors du périmètre et fixa les herbes enchevêtrées.

Un meurtre à Fort Keeps. Seigneur.

———

Tandis que le soleil se levait devant lui, O'Sullivan parcourut sur sa jument les terres vallonnées, couvertes d'arbres et rocailleuses des Gregory. Le shérif n'était pas pressé ; son badge le prédisposait à l'affrontement. La perspective de devoir s'entretenir avec M. Gregory ne réjouissait guère O'Sullivan. Son travail lui déplaisait rarement, mais c'était le cas aujourd'hui.

La cabane en rondins appartenait à la famille Gregory depuis plusieurs générations. La clôture en bois délimitait une infime partie de la propriété. O'Sullivan attacha son cheval à un poteau avant de gravir à contrecœur les marches du porche et de toquer à la porte.

Reculant d'un pas, le shérif enfonça ses pouces dans son ceinturon et attendit.

Il s'apprêtait à frapper une seconde fois quand la porte s'ouvrit.

— Madame Gregory, je suis vraiment désolé de vous déranger à cette heure-ci, commença-t-il.

Elle portait une chemise de nuit qui lui tombait sur les chevilles et agrippait le devant comme si elle craignait d'être mise à nu. Son expression suggérait que trouver un représentant de la loi sur le seuil de sa porte à l'aube ne pouvait qu'annoncer des ennuis à venir. Ses yeux semblaient balayer le sol à la recherche de ce qui avait motivé sa visite.

— Shérif ?

— Est-ce que monsieur Gregory est à la maison ?

Elle regarda distraitement derrière elle.

— Il y a un problème ?

— Je préférerais m'entretenir avec votre mari.

Elle ouvrit la porte et demanda :

— Voulez-vous entrer ?

La vision d'un foyer bien chaud lui traversa l'esprit. Il ne souhaitait qu'une chose : échapper à l'humidité de ce matin d'automne.

— Je vais attendre ici, madame. Ce serait très aimable à vous d'aller le chercher.

Elle acquiesça d'un hochement de tête et plissa le front d'un air manifestement perplexe tandis qu'elle refermait doucement la porte devant le shérif.

Benji O'Sullivan descendit du porche et marcha dans l'herbe en direction de la clôture en bois. Il posa une botte sur la traverse inférieure, entre les poteaux.

Il scruta le ciel et observa la nuit noire céder la place à des nuages épars dans les tons bleus et blancs.

Un instant plus tard, il entendit de vieilles charnières grincer et la porte d'entrée s'ouvrir à nouveau.

— Shérif ?

O'Sullivan n'avait pas spécialement envie de se retourner ; il inspira toutefois profondément avant d'expirer et de pivoter sur ses talons. Un homme se dirigeait vers lui, occupé à rentrer sa chemise de flanelle dans la ceinture de son pantalon et à manipuler les boutons qui dissimulaient son caleçon long et miteux. Il se tritura le dessous du menton, caressa sa barbe de plusieurs jours et regarda le shérif en plissant les yeux.

— Monsieur Gregory, commença O'Sullivan en le saluant d'une poignée de main. Je suis vraiment désolé de vous déranger de si bonne heure.

— J'étais déjà debout et je m'apprêtais à prendre mon petit déjeuner. Ma femme fait frire du bacon et des œufs. Si vous désirez vous joindre à nous, vous êtes le bienvenu.

C'était une proposition généreuse, mais très peu sincère.

— Merci, monsieur, mais je vais être obligé de décliner, répondit O'Sullivan.

— Je vois que vous n'avez pas perdu de temps pour vous rendre au travail ce matin.

J'y ai passé toute la nuit, pensa-t-il.

— En quoi pouvons-nous vous être utiles ? Vous avez fait peur à la patronne ; elle prétend que vous avez refusé de lui donner des explications.

Il avait du mal à rentrer convenablement sa chemise et ne cessait de la triturer pour l'ajuster.

— À vrai dire, je ne voulais pas la mettre dans tous ses états.

— Il est trop tard pour ça. Que se passe-t-il, shérif ? Que fabriquez-vous chez moi à l'aube ?

Le shérif Benji O'Sullivan redressa les épaules et serra la mâchoire :

— Monsieur Gregory, où se trouvaient vos garçons hier soir ?

CHAPITRE DIX-HUIT

— Nous voilà pris au piège ! cria Greta, les mains posées sur le dos de Jeremy.

Jeremy tendit un bras protecteur, invitant Greta à rester derrière lui. Les genoux pliés, il se pencha vers l'avant et se dirigea avec hésitation vers la porte.

— Qu'est-ce que tu fais ?

— Allons-nous-en d'ici, répondit-il.

La question qu'elle venait de formuler ébranlait ses nerfs. Ses pieds étaient comme soudés au sol. Il avait beau distinguer seulement sa respiration et celle de Greta, il détectait une présence dans la pièce. Il y avait autre chose.

— Reste près de moi.

Elle agrippa à nouveau sa chemise. Il sentait ses ongles lui griffer le dos.

Il s'avança d'un pas avant de s'immobiliser.

Il faisait froid dans la chambre ; la température baissait. Les poils de ses narines se raidirent. Greta, complètement paniquée, poussa un gémissement. Elle flageolait. À moins que ce ne soit lui ?

Les lumières s'allumèrent.

Une silhouette sombre, sans traits caractéristiques, se tenait devant eux et surveillait la porte.

— Laissez-nous tranquilles !

La voix de Jeremy se brisa, perdant ainsi toute autorité. Il se redressa afin de protéger Greta contre un éventuel danger.

— Sortez d'ici !

— Où est-elle ? gloussa la créature d'un ton à la fois haut perché et rauque avant d'exploser et de retomber en un chapelet de gouttelettes, telle de l'eau noire qui jaillissait de l'extrémité d'un tuyau.

Jeremy se mit à hurler et leva un bras en l'air afin de se prémunir contre la projection.

La lumière fonctionnait toujours.

La porte s'ouvrit dans un grincement de charnières.

Jeremy chercha la main de Greta pour la prendre dans la sienne et ordonna :

— Viens !

Ils quittèrent la pièce en courant. Il avait l'impression qu'il n'allait pas assez vite. En arrivant près des escaliers, il poussa Greta devant lui, certain que l'entité qui se trouvait dans sa chambre les poursuivait. Il s'attendait à ce qu'elle lui agrippe les épaules pour l'empêcher d'avancer.

Il trébucha sur les premières marches, déséquilibré par la perspective d'une attaque inconnue.

— Jeremy !

Greta avait atteint le bas de l'escalier et lui tendait la main. Elle aida Jeremy à se relever.

Faisant abstraction de la douleur lancinante qui irradiait au niveau de son coccyx, Jeremy emboîta le pas à Greta et tous deux se ruèrent à l'extérieur où ils retrouvèrent l'air frais.

Sans jamais s'arrêter, ils traversèrent l'allée en courant et descendirent la pente jusqu'à la route principale où, haletants, ils se risquèrent à jeter un coup d'œil derrière eux.

— Est-ce que ça va ?

Les mains sur les hanches, Jeremy se pencha en arrière et reprit son souffle. Il ne pouvait détacher son regard de la façade de la maison. Même à cette distance, il s'attendait à voir s'ouvrir la porte d'entrée.

Si jamais celle-ci s'ouvrait, apercevrait-il le fantôme sortir ? Il cligna fort des paupières et se détourna à cette pensée. Il ne souhaitait pas être témoin d'un phénomène paranormal. Tous les évènements qui venaient de survenir avaient eu pour seul mérite de lui permettre d'acquérir la certitude qu'il n'était pas fou, qu'il ne perdait pas davantage la raison.

— Tu l'as bien vu, non ?

Greta avait les yeux écarquillés.

— Greta, tu l'as vu. Dis-moi que tu l'as vu !

Il pointa du doigt la maison. Sa chemise collait à sa peau. Des sueurs froides l'envahirent tandis qu'un frisson glacial parcourait sa colonne vertébrale.

— Je ne sais pas.

Elle secoua la tête comme si elle tentait désespérément de tout effacer de sa mémoire.

Ce n'était pas ce qu'il voulait entendre. Elle était un témoin essentiel. Jamais personne ne le croirait. Jeremy n'avait aucunement l'intention de raconter cela à qui que ce soit, mais si cela s'avérait nécessaire, Greta pourrait appuyer ses affirmations.

— Tu n'as pas vu la porte se rabattre avant de s'ouvrir ? Et puis les lumières, la silhouette, la femme... elle a explosé !

Ses paroles semblaient la pousser à bout. Toujours en secouant la tête, elle s'éloigna de lui et ajouta :

— Non. J'ai vu la porte se fermer. L'obscurité. Je n'ai pas le souvenir de m'être déjà trouvée dans une pièce aussi sombre.

— Et la silhouette, la femme...

— Je n'ai rien vu.

— Elle était devant nous. Elle bloquait la porte pour nous empêcher de nous échapper.

Comment aurait-elle pu ne pas remarquer l'apparition ?

— J'étais derrière toi tout le temps. J'ai entendu des bruits et il faisait vraiment très sombre.

Il faisait noir et pourtant, il avait été témoin de la scène malgré l'absence de lumière.

— J'avais les yeux fermés. J'ai seulement fermé fort les yeux. Je n'ai jamais eu aussi peur de ma vie.

Elle avait fermé les yeux ? Jeremy se sentit abattu et ses épaules s'affaissèrent.

— Qu'est-ce que tu vas faire ? demanda-t-elle.

— Comment ça ?

Au moins, elle était immobile à présent. Elle ne cherchait plus à s'éloigner de lui ou de la maison. Elle croisa les bras. Il ignorait si elle faisait cela pour se réconforter, ou parce qu'elle avait froid.

— Je veux parler de la maison. Tu ne peux pas retourner là-bas.

— Mais c'est ici que j'habite.

Il pensa à son oncle. Jack avait-il vu quelque chose ? Il vivait dans cette maison depuis des années.

— Je suis obligé d'y retourner.

— Je ne crois pas que ce soit une bonne idée.

— Mais c'est chez moi.

Cela allait-il briser leur amitié ?

Étaient-ils cependant amis ?

— Tu étais au courant qu'il y avait un fantôme, n'est-ce pas ? demanda-t-il.

Il devait le savoir. La réponse lui importait peu, mais pour une raison quelconque, elle n'était pas surprise que ce lieu soit hanté.

— Ce n'est rien. Seulement d'une légende.

Elle baissa les yeux sur le gravier tout en s'amusant à déplacer les cailloux du bout de sa chaussure pour former un arc de cercle.

— Du moins, c'est ce que j'ai toujours cru, ajouta-t-elle.

— Pardon ?

— La femme dans les bois : c'est ainsi que tout le monde l'appelle, expliqua-t-elle en levant la tête vers lui. Tu n'as jamais entendu parler de cette histoire ? Beaucoup de variantes existent, mais elles commencent toutes plus ou moins de façon identique. Ça se passe au début du XXe siècle. La fille de cette femme disparaît et quand on découvre son cadavre, on se rend compte qu'elle a été violée puis assassinée, ou bien encore assassinée tout court. Selon certains, on ne retrouve même jamais son corps. Peu importe. Le fait est que la mère prend très mal la nouvelle et sombre dans la folie. On raconte qu'elle a cherché à se venger des coupables avant de mettre fin à ses jours. D'autres rapportent aussi qu'elle s'est seulement suicidée, mais dans toutes les versions que j'ai entendues, elle finit toujours par se donner la mort. Depuis son décès jusqu'à aujourd'hui, ajouta Greta en désignant la maison, les gens prétendent l'avoir aperçue dans les bois. On dit qu'elle parcourt la région pour protéger les jeunes filles des garçons.

Jeremy effleura la chair de poule qui envahissait son bras. Il n'avait jamais rien remarqué dans la forêt.

— Ça n'a rien à voir avec ma maison.

— Bien au contraire.

Greta s'éloigna à nouveau de lui et de l'allée. Elle se tenait dans l'herbe humide, les mains fourrées dans ses poches.

— La famille, c'est-à-dire la mère et sa fille, aurait habité ici. C'était un ranch à l'époque et il n'y avait pas d'étage contrairement à maintenant.

— La mère s'est *suicidée* dans la maison ? demanda Jeremy.

Greta haussa les épaules.

— Ça dépend qui raconte l'histoire : dans la maison, dans les bois, avec une arme à feu ou encore en se pendant à un nœud coulant.

Confus, Jeremy jeta un regard vers la maison.

— Ce n'est qu'une légende.

— Ouais, une simple légende, soupira Greta. Je veux dire, je n'ai jamais cru que ça puisse être vrai.

Jusqu'à aujourd'hui, pensa Jeremy.

————

Jeremy ouvrit les paupières. Il était sur le ventre, allongé sur le canapé du salon. Il n'avait pas le souvenir de s'être endormi. Quand était-il revenu dans la maison ? Où était Greta ?

Il cligna des yeux à une ou deux reprises.

Il aperçut une fille assise sur une chaise en face de lui. Ses pieds reposaient sur le coussin tandis que ses bras minces et blafards, presque verdâtres, étaient enroulés autour de ses jambes. De longs cheveux noirs en apparence humides lui couvraient le visage ; pourtant, il était certain qu'elle l'observait. Le regardait-elle alors qu'il dormait ?

Jeremy sentit un poids indéfinissable peser sur son dos, l'empêchant de bondir et de s'enfuir. Il avait les côtes douloureuses et respirait de plus en plus difficilement. Il ignorait ce qui l'immobilisait, mais il n'arrivait pas non plus à remuer la tête. Il était comme paralysé.

Qui êtes-vous ?

Aucun son ne s'échappa de ses lèvres. Il n'était même pas sûr d'avoir ouvert la bouche. Si tel était le cas, s'il avait parlé, alors il n'avait rien entendu.

Un fracas intense et sourd résonna à l'étage.

Ses oreilles, elles, fonctionnaient.

La tête de la fille assise sur la chaise pivota dans la direction d'où provenait le bruit. On avait l'impression que quelque chose de lourd, une boule de bowling par exemple, tombait sur le parquet. Il n'y avait, à sa connaissance, pas de boule de bowling là-haut. À moins que l'oncle Jack en possède une ?

Il ne parvenait pas à regarder ailleurs.

Elle tourna lentement la tête vers lui. Heureusement, il ne pouvait pas voir ses yeux et comprenait pourquoi Greta avait fermé les paupières tout à l'heure. Il voulait en faire autant, mais n'y arrivait pas.

Aucun de ses muscles ne lui obéissait.

Qui êtes-vous ?

Rien. Aucun son. Aucune parole prononcée.

Aucune réponse.

Il ouvrit à nouveau les yeux.

Il se trouvait dans le salon, étendu sur le sofa. Il se redressa, s'agenouilla sur les coussins et observa les alentours : la pièce était plongée dans l'obscurité.

La chaise sur laquelle il avait aperçu la fille n'était pas près du canapé, mais dans un coin.

Vide.

C'est alors qu'il entendit un bruit sourd provenir de l'étage.

CHAPITRE DIX-NEUF

MERCREDI 21 SEPTEMBRE

Ce fut l'arôme du bacon qui le réveilla. Il perçut le bruit d'une poêle qui crépitait et commença par humer l'air avant d'ouvrir les yeux.

— Tu as faim ?

L'oncle Jack portait un tablier autour de sa taille. Les taches laissées par ses mains sur le devant semblaient tellement anciennes qu'elles donnaient la sensation d'être imprimées sur le tissu.

— C'est le matin ?

Jeremy s'entendit parler cette fois-ci. C'était un son merveilleux.

— J'ai eu vent que tu t'étais fait porter pâle au travail hier. Quand je suis rentré à la maison, tu dormais profondément. J'ai bien pensé te réveiller pour que tu montes dans ta chambre, mais je me suis dit que te tirer de ton sommeil pour te demander d'aller au lit serait absurde.

Jeremy prit place sur l'un des accoudoirs.

Il était sur le canapé. Dans le salon. La chaise sur laquelle était assise la fille se trouvait dans le coin. Vide. Seulement cette fois, il savait qu'il était conscient. C'était indiscutable.

— Qu'est-ce qui t'est arrivé ?

— Comment ça ?

Jeremy se frotta les yeux. Il avait la bouche sèche. Il fit courir sa langue sur son palais et sur la pellicule qui s'était formée derrière ses dents.

— Ton visage.

Ses ecchymoses devaient paraître dix fois pires aujourd'hui. Jeremy se redressa, mais baissa les paupières.

— Je suis tombé de scooter l'autre soir.

— Tu ne portais pas ton casque ?

En dépit de ses paroles accusatrices, le ton de l'oncle Jack reflétait une inquiétude évidente.

— Est-ce que ça va ? demanda-t-il ensuite d'une voix plus douce.

Jeremy avait envie de raconter à son oncle ce qui se passait. Le shérif et son fils avaient une dent contre lui. Comment s'opposer à un représentant de la loi ? La peur l'obligeait toutefois à garder le silence. Si l'oncle Jack venait à se plaindre de quoi que ce soit, Dieu seul savait quels problèmes le shérif serait capable de lui chercher. Jack n'avait nullement besoin de ce genre d'ennuis ; il avait déjà fait tellement pour lui.

— Ça va. Je me suis cogné légèrement.

— Et le scooter ?

— C'est bon. Il est dans le garage.

— Eh bien, ça n'a pas encore l'air d'aller très fort. Je ferai un crochet pour parler à ton patron en partant au boulot. Repose-toi.

— Je peux retourner travailler aujourd'hui, insista Jeremy.

C'était précisément parce qu'il n'en avait pas envie qu'il était conscient de devoir le faire. Plus il resterait longtemps absent, plus il aurait des difficultés à revenir.

Et puis, il y avait le problème de la maison. Il ne voulait pas se voir contraint d'y passer une journée supplémentaire. Il n'envisageait pas que l'on puisse le laisser seul ici. Pas aujourd'hui. Pas après ce qui était arrivé hier.

Où était Greta ?

Pourquoi ne se souvenait-il pas de lui avoir dit au revoir hier soir ?

— Tu n'es pas obligé de faire ça, ajouta Jeremy.

— Tu es sûr ? Il n'y a rien de mal à prendre un autre jour de congé.

Il avait suggéré cela d'une manière qui trahissait un certain scepticisme quant à son coup de fil de la veille pour annoncer qu'il était malade. Le voir avec un œil au beurre noir, le nez boursouflé et la lèvre fendue devait l'avoir convaincu du contraire.

Greta et lui s'étaient trouvés au bout de l'allée près de la route principale. Il n'avait pas le souvenir d'avoir aperçu la moindre voiture. Il ne se rappelait pas lui avoir dit au revoir.

Cela le tourmentait.

Il ne se souvenait pas d'être retourné à la maison, de s'être glissé à l'intérieur, ou de s'être endormi sur le canapé.

Mais surtout, il ne se souvenait pas d'avoir dit au revoir à Greta.

Il estimait que si cela avait été le cas, il l'aurait regardée s'éloigner. Pour tout dire, il savait qu'il l'aurait suivie des yeux jusqu'à ce qu'elle ait disparu de son champ de vision. Il supposait même qu'il serait resté à l'endroit depuis lequel il l'avait observée avant de la perdre de vue.

Elle lui plaisait. C'était indiscutable. Malgré les coups de Kevin et les menaces proférées par le père de ce dernier, il ne pouvait tout bonnement pas se forcer à renoncer à ses sentiments. C'était plus compliqué que cela. Reconnaître qu'elle occupait de plus en plus ses pensées ne présentait aucun risque. En revanche, passer à l'action était une autre histoire.

Elle aussi devait ressentir quelque chose. Sinon, pourquoi se serait-elle cachée derrière un arbre dans son jardin ? Cela était certes un brin louche et frisait *quelque peu* le harcèlement, mais il ne voyait pas les choses sous cet angle. C'était en réalité tout le contraire. Il était flatté. À vrai dire, elle lui avait épargné l'humiliation de chercher le moyen idéal d'engager une conversation spontanée.

— Jer ? Est-ce que ça va ?

Il s'aperçut qu'il fermait hermétiquement les yeux. Il essayait de se souvenir. S'il parvenait à se rappeler d'avoir dit au revoir à Greta...

— J'ai juste mal à la tête, mentit Jeremy.

— Eh bien, je crois que la question est réglée.

— Comment ça, « réglée » ?

— Assieds-toi. Laisse-moi te préparer quelque chose à grignoter. Regarde la télé ou un truc dans le genre. Je passerai voir Barry avant d'aller au travail.

— Je pense que je devrais aller bosser aujourd'hui.

— Je sais.

Jack pénétra dans la cuisine. Le bruit familier d'une poêle que l'on racle avant de servir à manger parvint bientôt aux oreilles de Jeremy.

— Je respecte ton attitude. Sincèrement. Ça prouve que tu possèdes une solide conscience professionnelle. Ton papa était comme ça. Et moi aussi, je suppose.

Jack revint dans la pièce. Il tenait dans une main une assiette qui contenait des œufs brouillés, du bacon croustillant ainsi que du pain grillé, et dans l'autre, un grand verre de jus d'orange. Il les posa sur la table basse près du canapé.

— C'est pour ça que tu ne dois pas culpabiliser à l'idée de rater une nouvelle journée de travail, poursuivit-il. Ce n'est pas comme si tu faisais semblant.

— Mais oncle Jack...

— Mange et tâche de te reposer encore. J'essaierai de rentrer un peu plus tôt ce soir.

Il enfila ses bottes qui se trouvaient dans l'entrée sans se donner la peine de les lacer et souleva son manteau marron de marque Carhartt suspendu au crochet derrière la porte.

— Et si Barry me vire pour avoir manqué deux jours de travail ?

Jeremy n'aimait pas laver la vaisselle et récurer les casseroles et les poêles, mais il avait besoin de ce travail. Il se réjouissait même de l'avoir. Il savait qu'il ne passerait pas le reste de sa vie à la cuisine. Et pourtant...

— Barry ne fera rien de tel. Oublie ça, je t'assure. Repose-toi et laisse-moi m'en occuper, d'accord ?

Voir son oncle prendre les choses en main avait quelque chose de réconfortant. L'anxiété croissante qu'il ressentait se dissipa en partie.

Jeremy souleva l'assiette et goûta son petit déjeuner :

— C'est bon.

— Ne parle pas la bouche pleine, l'avertit Jack en lui adressant un clin d'œil. D'accord ?

— D'accord.

Lorsque Jack eut quitté la maison, Jeremy attrapa la télécommande et alluma la télévision. Avant même d'avoir pu porter une nouvelle fourchette d'œufs à sa bouche, il se figea.

Dans le reflet de la baie vitrée sur le téléviseur, il la vit.

C'était la fille de son rêve, celle qui était assise sur la chaise. Seulement cette fois, elle se tenait sous la voûte qui séparait le salon et la cuisine.

Elle désigna du doigt l'escalier.

Jeremy lâcha l'assiette de nourriture et sauta du canapé. Il trébucha, se cogna le tibia contre la table basse et pivota en direction de l'endroit où il avait vu la fille, ou plutôt le fantôme – qu'importe !

Il n'y avait personne.

Un bruit intense et sourd se fit entendre à l'étage.

— Ça ne va pas recommencer, supplia Jeremy. Non, ça ne va pas recommencer !

CHAPITRE VINGT

FORT KEEPS, ÉTAT DE NEW YORK
— ADIRONDACKS — OCTOBRE 1912

LE SHÉRIF BENJI O'SULLIVAN PORTAIT UNE longue veste en cuir beige qui lui arrivait jusqu'en bas des mollets. Ses bottes étaient éraflées à un point tel que les cirer ne servait plus à rien. Quant aux semelles, elles étaient presque entièrement usées. Il devrait en acquérir une nouvelle paire avant l'hiver. L'idée de dépenser de l'argent, même pour des biens de première nécessité, lui donnait à réfléchir. Seules sa peur oppressante des engelures et celle de perdre des orteils le poussaient à envisager cet achat.

Il se tenait face à son bureau. La fumée d'un cigare s'élevait juste devant son visage. L'air frais de l'automne était vivifiant, suffisamment revigorant pour qu'il se sente alerte. La nuit avait été longue. Il était éveillé depuis près de trente heures. La grande criminalité était plutôt rare à Fort Keeps. Dans la mesure où tous les indices convergeaient vers un homicide, il se voyait mal rentrer à la maison et dormir. Le repos pouvait attendre. Chez elle, une mère endeuillée avait cruellement besoin de réponses.

De son côté, au bar du coin, un père patientait dans l'espoir que ses garçons ne soient pas arrêtés pour meurtre et guettait sa venue afin qu'il lui annonce le verdict.

La résolution de cette affaire en mécontenterait certains.

C'était inévitable.

Il laissa le cigare s'éteindre naturellement, le tapota pour se débarrasser de la cendre et glissa le reste dans l'une de ses poches pour plus tard.

Le moment fatidique était arrivé. L'heure de l'interrogatoire avait sonné et la perspective de questionner deux gosses ne le réjouissait guère. L'agitation qui régnait dans son ventre n'arrangeait rien. Lorsque tous les indices convergeaient dans une même direction...

Il inspira une ultime bouffée d'air frais avant de pénétrer dans son bureau et de soupirer longuement et lentement. Le claquement de la porte qu'il avait refermée avec un peu plus de force que nécessaire ponctua son retour et produisit l'effet escompté.

Les fils Gregory étaient assis côte à côte devant son bureau. Jacob s'amusait à faire basculer sa chaise

PHILLIP TOMASSO

en arrière. Il se redressa et le sourire qu'il arborait se dissipa rapidement.

— Savez-vous pourquoi je vous ai amenés ici ?

O'Sullivan prit place sur un coin de son bureau. L'arrière de la pièce abritait deux cellules munies de barreaux de fer et encadrées de murs de parpaings. Le reste des lieux était simplement construit en rondins. Le fauteuil de son adjoint se trouvait du côté opposé au sien. La table de travail de ce dernier était légèrement plus petite. Il ignorait si cela était ou non intentionnel, si c'était une question de prestige ou quelque chose de ce genre.

— Notre père ne nous l'a pas dit.

Caleb était le plus âgé des deux. À dix-sept ans, il était néanmoins encore mineur dans l'état de New York.

— Est-ce que c'est grave, shérif ?

Jacob avait beau avoir deux ans de moins que son frère, il le dominait d'une tête. Même s'ils ne cultivaient pas la terre, les deux garçons étaient devenus très costauds. Il savait qu'ils passaient beaucoup de temps à manier la hache, abattre des arbres et fendre du bois en compagnie de leur père.

O'Sullivan se leva. D'un geste de l'épaule, il se débarrassa de sa veste et la suspendit au crochet derrière la porte. Ses mouvements étaient en partie stratégiques. Calculés. Il cherchait à leur donner des sueurs froides, à susciter en eux un peu d'appréhension. Il voulait qu'ils laissent libre cours à

152

leur imagination. Ils risquaient ainsi davantage de lâcher des informations par inadvertance. D'ordinaire, il aurait séparé les frères sans leur laisser le temps de concocter des histoires. Mais ces deux-là habitaient sous le même toit : ils avaient eu des heures pour peaufiner les détails de leur récit.

Si tant est qu'ils aient quelque chose à se reprocher.

Son travail consistait à considérer les gens coupables jusqu'à preuve du contraire. Pas l'inverse. Que ces garçons soient à l'heure actuelle les seuls principaux suspects du meurtre le chiffonnait.

— Permettez-moi de vous poser une question.

O'Sullivan se tenait derrière son bureau, paumes à plat, et se pencha vers eux. La station debout lui conférait un air d'autorité tandis que le fait de se pencher renforçait son pouvoir d'intimidation.

— Pourquoi pensez-vous que je vous ai fait venir ici aujourd'hui ?

Aucun des deux ne répondit sur le champ. Jacob jeta brièvement un coup d'œil à Caleb afin d'observer sa réaction, avant de reporter son attention sur ses mains croisées sur ses genoux.

— Caleb ?

Pas de contact visuel.

— Non, monsieur.

— Jacob ?

— Non, monsieur, souffla ce dernier en hochant légèrement la tête.

— J'aimerais savoir ce que vous avez fait hier soir.

Tous gardèrent le silence. O'Sullivan laissa s'écouler quelques minutes avant de frapper du poing sur le bureau. Les deux frères Gregory levèrent les yeux, sursautant comme si un coup de tonnerre les avait brusquement tirés de leur sommeil.

— Jacob ! Qu'est-ce que vous faisiez la nuit dernière ?

Ce gosse était peut-être le plus costaud des deux, mais il n'avait *que* quinze ans. O'Sullivan cherchait à lui faire perdre une partie de l'assurance dont il pouvait faire preuve.

— Quand ? questionna Jacob d'une voix calme et à peine audible.

— Comment ça : « quand » ? rétorqua le shérif.

— Vous nous avez demandé où nous étions hier soir. Je veux juste savoir si vous avez une heure précise en tête.

O'Sullivan en déduisit soudain qu'il avait mal jugé ces jeunes.

— Tu sais quoi ? Lève-toi ! Debout ! Allez !

Jacob s'exécuta. Il était presque aussi grand que le shérif. Alors qu'ils se faisaient face, O'Sullivan peinait à se souvenir que le type planté devant lui n'était qu'un enfant.

— Viens avec moi, ordonna-t-il.

— Où est-ce qu'on va ?

Il avait mal géré la situation depuis le début. Faire en sorte que les deux frères restent ensemble n'arrangeait rien. Cela ne faisait que compliquer les choses. Soit Jacob se la jouait devant son aîné, soit Caleb était le maillon faible.

— Faire un petit tour du propriétaire, répliqua le shérif en attrapant Jacob par l'avant-bras. Suis-moi.

Il emmena le gosse à l'arrière, souleva le trousseau de clés suspendu à un crochet et déverrouilla la porte.

— Après toi, fit le shérif en lui adressant un geste de la main.

Jacob le dévisagea sans ciller avant de franchir le seuil.

O'Sullivan tourna la tête :

— Et toi, reprit-il en désignant Caleb, ne bouge pas. Je reviens tout de suite.

En refermant la porte, O'Sullivan se retint de sourire. Il avait cru déceler de la peur dans le comportement par ailleurs calme et serein de Jacob. Sans mot dire, il le distança, passa devant la première cellule et déverrouilla la seconde. Cette dernière s'ouvrit dans un grincement de charnières ; les geôles servaient rarement. Le week-end, des habitués ivres venaient fréquemment cuver leur cuite dans ces espaces confinés.

— Pourquoi ça ? demanda Jacob qui demeurait immobile.

O'Sullivan savait qu'il n'avait pas besoin de se justifier.

— J'ai deux mots à dire à ton frère.

— Alors pourquoi est-ce que vous m'enfermez ?

— Je dois vous poser des questions et j'attends des explications. Je veux voir si vous répondez tous les deux la même chose. La seule façon de m'en assurer, c'est de t'éloigner pour que tu ne puisses pas écouter les déclarations de Caleb.

— Ce n'est pas ce que je voulais dire.

Le shérif commençait à trouver le garçon antipathique.

— Alors, qu'est-ce que tu sous-entendais par-là ?

— Je ne suis pas en état d'arrestation, n'est-ce pas ? Pour autant que vous le sachiez, je n'ai rien fait de mal. Pas vrai ?

— C'est exact.

— Dans ce cas, pourquoi est-ce que vous me mettez en cage comme un criminel ?

O'Sullivan se rendit compte qu'il s'était encore trompé. Ce n'était pas de la peur qu'il avait dû déceler chez ce garçon, mais très probablement autre chose.

— Entre dans la cellule.

Jacob plissa le nez et haussa les épaules. Sa mâchoire se serra.

— Puisque vous insistez.

— C'est exactement ça.

Une fois Jacob à l'intérieur, le shérif verrouilla la porte.

— Mets-toi à l'aise, ajouta-t-il. Ça risque de prendre un certain temps.

CHAPITRE VINGT-ET-UN

LUNDI 26 SEPTEMBRE

Travailler était devenu ce qu'il y avait de plus monotone dans sa vie. Récurer les casseroles et laver la vaisselle lui occupait les mains, mais permettait à son esprit de vagabonder. Il ne faisait que cogiter pendant qu'il s'activait, ce qui, en soi, avait le don de l'exaspérer.

Avant de se rendre au travail, Jeremy avait effectué un détour par la pharmacie pour renouveler ses médicaments. En passant à proximité du café Paparazzi sur son cyclomoteur, il ne put s'empêcher de jeter un coup d'œil en direction de la vitrine où des flashs crépitaient en permanence. Avec les lumières stroboscopiques, on ne distinguait pratiquement rien à l'intérieur. Il avait espéré apercevoir Greta, mais ce souhait était désormais réduit à néant.

Il se souvenait d'avoir regardé une dernière fois en arrière lorsqu'il s'était arrêté au seul feu rouge de la ville. Il éprouvait l'étrange sensation d'être observé et aurait aimé que Greta le voie passer non loin du café et vienne à sa rencontre. Cela n'avait pas été le cas. Elle ne se tenait pas près de la porte. Il avait inspecté les alentours, mais personne ne l'épiait.

Il était conscient qu'il ne la connaissait pas vraiment. Pas très bien. À peine.

Pourtant, elle lui manquait.

La routine quotidienne qui consistait à travailler de longues heures et à s'endormir rapidement était vite devenue ennuyeuse. Ses jours de congé ne coïncidaient pas avec ceux de l'oncle Jack. Il tuait le temps en jouant de la guitare, mais même se livrer à une activité qu'il aimait finissait par le lasser. Il avait honte de l'admettre, mais au moins pendant son hospitalisation, il était entouré. Il y avait toujours quelqu'un à qui parler. Il se sentait désormais un peu coupable d'avoir passé la majeure partie de son temps à *éviter* ceux qui avaient eu désespérément envie de discuter.

Il avait la nostalgie de sa chambre d'hôpital.

Ces derniers jours, il avait dormi sur le canapé du salon. L'oncle Jack l'avait questionné à ce sujet. À maintes reprises, il avait failli lui faire part des évènements qui étaient survenus, mais s'était ravisé. Peut-être que sa chambre et les échanges qu'il avait à l'hôpital ne lui manquaient pas autant qu'il le pensait.

Il s'était servi de l'ordinateur de son oncle pour effectuer des recherches sur la femme dans les bois. Greta ne connaissait pas la moitié de l'histoire. De multiples versions de la légende existaient. Certaines prétendaient que le fantôme de la mère errait dans les forêts en tenant deux gros chiens d'attaque en laisse. Elles affirmaient par ailleurs que lorsqu'elle surprenait un couple en train de s'embrasser, elle lâchait ses chiens sur le garçon et hurlait à la fille de courir.

Cette histoire de fantôme était en partie censée être vraie, mais Jeremy ignorait comment démêler la réalité de la fiction.

Cela faisait un moment qu'Allana et Marsha avaient apporté un chariot plein. C'était bon signe. La soirée touchait à sa fin.

Jeremy se retenait le plus possible de regarder l'heure sous peine d'avoir l'impression que la journée s'éternisait. Ne disait-on pas que tout venait à point à qui savait attendre ? Consulter son téléphone pour vérifier sa messagerie le retardait. De temps à autre, Jack lui envoyait un SMS afin de l'informer de ce qu'il y avait au menu pour le dîner, le prévenir s'il rentrait tard, ou quelque chose de ce genre. Presque deux semaines s'étaient écoulées depuis qu'il avait parlé à Greta, pourtant il se surprenait à regarder s'il avait reçu de nouveaux messages. Aucun ne provenait d'elle.

Seule l'heure lui sautait aux yeux dès qu'il sortait son téléphone. Elle était clairement affichée sur l'écran. *C'est là l'inconvénient de se sentir en manque d'affection*, avait-il conclu.

La porte s'ouvrit alors que Jeremy achevait de nettoyer la dernière casserole. Son estomac se serra légèrement. Il ne voulait pas se retourner. Il était prêt à rentrer chez lui et n'avait aucunement envie de voir un autre chariot rempli de vaisselle sale, de verres et de couverts.

— Tu as presque fini, Jer ? demanda Barry.

Oui.

— Oui.

— J'ai laissé partir les filles. Je vais donner un coup de serpillière partout, et ce sera bon.

— Je devrais avoir terminé d'ici là.

———

Lorsque Jeremy et Barry sortirent à l'arrière du restaurant, Greta se tenait près du cyclomoteur.

— Salut, lança-t-elle.

Barry arqua le sourcil et s'efforça de prendre une expression neutre. Il se tourna vers Jeremy.

— Bonne nuit.

— Merci.

— Bonne nuit, Greta.

— À plus, Barry.

Tandis que son patron montait à bord de son véhicule et quittait le parking, Jeremy crut entendre ce dernier pouffer de rire.

— Comment ça va ? demanda Greta.

— Bien. Et toi ?

— Bien.

— Les nuits commencent à devenir fraîches, ajouta Jeremy qui ne savait pas quoi dire d'autre.

— Ouais.

Ils demeurèrent plantés là un moment, puis Jeremy prit la parole :

— Tu viens de sortir du travail ?

— Ça fait une heure environ. J'avais l'intention d'aller manger une pizza au feu de bois.

Elle regarda en direction de la pizzeria.

— Oh. Excellente idée. Je n'ai pas encore goûté leur pizza.

— Elle est bonne. C'est vraiment la meilleure.

Il ne connaissait pas grand-chose aux pizzas. On en servait à la cafétéria de St Mary's. Parfois, quand un évènement spécial était célébré dans le service, on faisait livrer de la pizza qui provenait de véritables pizzerias. La pizza de la cafétéria s'avérait alors immangeable pendant plusieurs semaines.

— Ça fait longtemps que je n'ai pas mangé une bonne pizza.

— Est-ce que tu veux...

— Tu m'invites ?

— Tu as faim ?

Il n'avait pas faim. Pas vraiment. Barry le nourrissait bien tout au long de son service.

— Je mangerais bien quelque chose, admit-il en se tapotant le ventre. Mais j'ai surtout besoin d'une douche. Je ne sens pas très bon.

Greta se mit à rire comme s'il venait de sortir quelque chose d'amusant.

— Ne sois pas ridicule. Tu es bien comme ça.

C'était plutôt le contraire. À vrai dire, il avait de plus en plus conscience de son odeur corporelle. Il empestait le poulet, le macaroni au fromage et la transpiration.

— Tu es venue à pied ?

— Oui. Depuis le café.

Comment aurait-elle fait pour rentrer à la maison s'il avait décliné sa proposition ?

— Tu veux monter ?

— Bien sûr.

Jeremy se souvenait de la dernière fois où il l'avait raccompagnée. Comme c'était agréable de la sentir tout proche alors qu'elle se serrait contre lui ! Cette fois, il grimaça quand elle enroula ses bras autour de sa poitrine. Il puait, il était sale et pourtant, elle ne semblait pas le moins du monde décontenancée.

Jeremy se gara devant la pizzeria *Au Feu de Bois*. Il avait mis quinze secondes à peine pour venir du restaurant jusqu'ici. Greta l'avait enlacé pendant toute la durée du trajet. Il aurait souhaité qu'ils puissent poursuivre leur route et donné n'importe quoi pour prolonger un tant soit peu ce moment.

À l'intérieur de l'établissement, les effluves de sauce, de fromage, de pain mou et d'épices italiennes lui donnèrent l'eau à la bouche. Il nota la présence de plusieurs banquettes alignées contre la cloison latérale ainsi que des tables de part et d'autre du comptoir.

— Qu'est-ce que tu aimes comme garniture sur ta pizza ? demanda Greta.

— Je m'en remets à toi.

Greta sourit et se tourna vers la femme qui attendait près de la caisse pour prendre leur commande.

— Salut, Samantha.

— Comment ça va, Greta ?

— Je meurs de faim. Est-ce que tu as déjà rencontré Jeremy Raines ?

Samantha avait l'air d'avoir une quarantaine d'années. Ses cheveux bruns étaient tirés en arrière et attachés en une queue de cheval. Elle portait une visière blanche ainsi qu'un t-shirt rouge sur lesquels figuraient le nom et le logo de la pizzeria.

— Non, répondit-elle avant de se présenter. Tu viens d'arriver en ville ?

Jeremy lui serra la main.

— Si on veut.

— Attends une minute. Raines. Raines.

Elle se tapota la lèvre, jeta un regard vers la gauche et écarquilla les yeux.

Jeremy savait que Samantha se souvenait de son passé.

— Greta m'a raconté que tout était excellent ici.

Samantha parut apprécier le compliment. Le sujet de la conversation avait changé. Elle déclara d'une voix franche et claire :

— Elle vient manger ici au moins une fois par semaine. Elle n'a pas intérêt à dire le contraire ! Qu'est-ce que je vous sers ?

— Tu me fais confiance ? demanda Greta à Jeremy.

— Bien sûr.

— Sam, une méditerranéenne moyenne et deux sodas. Light pour moi. Et toi, Jeremy ?

— Normal, s'il vous plaît.

— Une méditerranéenne moyenne et deux boissons. Entendu. Installez-vous. Je vous apporte ça dès que c'est prêt.

Samantha arracha la commande du bloc-notes et l'attacha à une roue qu'elle fit tourner à destination des types qui cuisinaient à l'arrière.

— Et si on s'asseyait près d'une fenêtre ? proposa Greta.

— Pas de problème. C'est quoi, une pizza méditerranéenne ? demanda-t-il lorsqu'ils furent installés.

— C'est une pizza avec de la sauce béchamel

accompagnée de mozzarella et de feta. Elle est garnie d'épinards, de poivrons rouges grillés et de tranches de tomates.

— C'est quoi, une sauce béchamel ?

— C'est une sauce à base d'huile et d'ail.

Il pensa à son haleine, mais se rassura à la perspective qu'elle en mangerait aussi.

— Ça a l'air... différent. Bon, je veux dire. Ça a l'air bon, mais différent.

— Tu mets quelle garniture sur ta pizza d'habitude ?

— Du pepperoni.

Samantha s'approcha avec les sodas.

— Light. Et normal.

Ils la remercièrent. Lorsqu'elle se fut éloignée, Greta but une gorgée de son verre avec sa paille.

— Voilà, je suis allée à la bibliothèque d'Inlet chercher des renseignements sur ta maison.

Ce qu'elle lui racontait l'intriguait. À vrai dire, il pensait ne plus jamais la revoir depuis le jour où ils s'étaient retrouvés pris au piège chez lui par le fantôme. Pourtant, elle était là, l'avait invité à dîner et lui expliquait qu'elle avait effectué des recherches.

— Qu'est-ce que tu as trouvé ?

— Pas mal de choses, en fait. Bon, tu es prêt ? J'ai découvert que tout au début du XXe siècle, ta maison et les terres alentour appartenaient à une dame du nom d'Elissa Crosby. J'ai donc demandé à la bibliothécaire de me montrer comment consulter d'anciennes copies de l'*Adirondack Herald* à l'aide de microfilms.

— Des microfilms ? Qu'est-ce que c'est ?

— Je ne le savais pas non plus. Ça consistait à prendre des photos de chaque page d'un journal ou d'un magazine et à stocker ensuite des milliers et des milliers d'éditions sur un rouleau de film. J'ai dû me servir d'une machine pour rétroéclairer le négatif et visionner les images sur un écran, si tu vois ce que je veux dire.

— En quelque sorte.

Il n'avait aucune idée de ce dont elle parlait.

— Ce n'était pas facile. Du moins au début. Mais la question n'est pas là, poursuivit-elle. J'ai expliqué à la bibliothécaire ce que je voulais faire et elle m'a beaucoup aidée. Elle et moi avons passé ces derniers jours à chercher des renseignements. Bref, ce vieux journal avait couvert le meurtre d'une jeune fille nommée Alice Crosby.

— Elle porte le même nom de famille que la dame qui était propriétaire de ma maison.

— C'est ça. C'était en octobre 1912.

Les bras posés sur la table, elle déplaça son verre de soda sur le côté.

— Je suis tombée sur quelques articles concernant cette Alice. Elle a été retrouvée dans les bois. Le shérif a enquêté sur ce crime, poursuivit Greta en roulant des yeux.

— Quoi ?

— Je savais que la famille de Kevin vivait ici dans les montagnes depuis toujours, mais j'ignorais que son arrière-arrière-grand-père, je crois, était shérif lui aussi. Benji O'Sullivan était le shérif de cette ville en 1912. Il possédait une maison au fin fond de la forêt, plus en altitude. Kevin et son père utilisent cet endroit quand ils vont à la chasse.

Jeremy ne voulait pas gâcher la soirée en pensant à Kevin.

— Waouh ! Sans blague ?

— Je te le jure, fit-elle en tournant la tête et en sirotant une nouvelle gorgée de soda. Deux frères ont été accusés du meurtre. Ils étaient gamins.

— Et ensuite, que s'est-il passé ?

CHAPITRE VINGT-DEUX

FORT KEEPS, ÉTAT DE NEW YORK — ADIRONDACKS — OCTOBRE 1912

LE SHÉRIF BENJI O'SULLIVAN QUITTA LE BAR, laissant un homme brisé à l'intérieur. Il lui avait expliqué que pour le moment, Jacob et Caleb demeureraient en détention en attendant d'y voir plus clair. Il n'y avait en réalité pas grand-chose à éclaircir. Caleb s'était effondré en pleurant pendant son interrogatoire. Ce n'était pas un aveu, mais ça y ressemblait. Jacob serait plus difficile à faire craquer. Il les avait séparés. Un de ses adjoints était resté auprès de Caleb. O'Sullivan voulait que Jacob se retrouve isolé.

Il aurait aimé avoir des nouvelles à annoncer à Mme Crosby. Il récupéra malgré tout son cheval attaché au poteau : il devait lui rendre visite. Elle avait passé une bonne partie de la journée seule. Certaines personnes pouvaient uniquement commencer leur deuil lorsqu'elles avaient l'impression que justice avait été rendue. Il ne pouvait lui offrir cela, néanmoins il désirait la mettre au courant de certains évènements. Apprendre que des suspects se trouvaient en détention provisoire lui apporterait peut-être un peu de satisfaction. Peut-être que non. Quoi qu'il en soit, elle avait le droit de savoir.

Sa maison avait la même apparence qu'hier soir, lorsqu'il était venu pour la première fois lui annoncer qu'ils avaient découvert un corps, petit, frêle et insignifiant. Alice attendrait de lui des réponses.

Quelqu'un était assis sur une chaise à bascule sous le porche d'entrée.

Le shérif descendit de sa monture et s'avança en tenant sa jument par les rênes.

— Madame ?

La femme demeura immobile.

— Vous allez tomber malade si vous restez ici sans manteau.

O'Sullivan n'en crut pas ses yeux en constatant qu'elle était simplement vêtue d'une chemise de nuit blanche. C'était la même que celle qu'elle portait la veille.

Il gravit avec hésitation la marche du porche. Une lumière intense jaillissait d'une lanterne qui se trouvait sur une petite table à côté d'Elissa. Elle n'avait pas cillé depuis qu'il l'observait. Ses cheveux ondulés étaient détachés et tombaient bien au-delà du milieu de sa poitrine. Ses pieds nus reposaient à plat sur le sol très vraisemblablement glacé. Elle avait les bras étendus sur les accoudoirs, tandis que ses mains ballantes pendaient dans le vide.

— Madame Crosby ?

Elle tourna lentement la tête et leva le visage vers lui en entendant sa voix.

Elle avait le blanc des yeux cramoisi. Des larmes striaient ses joues presque entièrement recouvertes de poussière séchée.

D'autres perlaient près de ses paupières inférieures et ses lèvres frémirent.

O'Sullivan s'agenouilla à côté d'elle.

Elle laissa tomber sa tête sur son épaule tandis qu'il l'enlaçait.

— Vous êtes frigorifiée. Depuis combien de temps est-ce que vous êtes ici ? Allez. Venez à l'intérieur. Allez.

Il se redressa et l'aida à se mettre debout. Elle se leva assez facilement et il la guida jusque dans la maison. Le canapé du salon avait l'air plutôt confortable. Il l'installa dessus, alla chercher des couvertures sur le lit de la pièce la plus proche et entreprit ensuite d'allumer un feu dans le foyer.

— Est-ce que vous avez trouvé qui a fait ça ?

— Pardon, madame Crosby ? demanda O'Sullivan, occupé à attiser les flammes.

— Est-ce que vous avez trouvé celui qui a fait du mal à ma fille ?

On n'avait pas fait du mal à Alice. Elle était morte. Ce n'était pas la même chose. Il s'inquiétait de la savoir vraisemblablement dans le déni et en état de choc.

— Nous avons deux suspects en détention provisoire, madame. C'est pour ça que je suis venu ce soir. Je voulais vous...

— Vous les avez tués ?

Si O'Sullivan n'avait pas les yeux fixés sur elle, il aurait juré que la question provenait d'ailleurs dans la maison.

— Elissa...

— Vous les avez tués ?

C'était bien elle. C'était elle qui avait prononcé ces paroles. Les bras en dehors des couvertures, elle serrait les poings.

— Je suis un simple représentant de la loi, madame. Ils sont sous les verrous pour l'instant. Nous n'avons encore procédé à aucune arrestation. Ce sont des suspects à ce stade. Rien de plus.

Elissa sanglota. Le menton baissé contre la poitrine et les poings toujours serrés, ses épaules se mirent à trembler.

— Ils ne méritent pas de vivre. Pas après ce qu'ils ont fait à ma fille. Pas après le mal qu'ils lui ont fait.

— Quand nous en aurons la certitude...

— Elle n'a pas arrêté de pleurer une seule fois depuis que je suis rentrée.

O'Sullivan se leva.

— De qui parlez-vous ?

— D'Alice. Vous ne l'entendez pas ? répondit Elissa en désignant l'arrière de l'habitation. Je ne peux rien pour la secourir. Absolument rien pour soulager sa douleur. Écoutez-là qui m'appelle : « À l'aide, maman. Aide-moi. »

O'Sullivan demeura immobile et tendit l'oreille. Aucun son ne lui parvint. Les bûches crépitaient et se désagrégeaient dans le foyer. De la fumée refluait dans la maison. Le conduit de cheminée était-il ouvert ?

Il ne s'attendait pas à entendre la voix Alice.

Le deuil était quelque chose de fort. Elissa Crosby se retrouvait seule à présent. Elle mettrait peut-être des années à se sentir mieux, si toutefois elle arrivait à accepter l'idée qu'on avait assassiné sa fille.

Il croyait cela impossible.

— Elle m'appelle en pleurant ! Je ne peux rien faire et ils lui font du mal.

O'Sullivan prit place sur le canapé à côté d'Elissa. Les paroles magiques n'existaient pas. Il ne pouvait imaginer ce qu'elle avait perdu. Aucun parent ne devrait avoir à subir l'épreuve de la mort d'un enfant. Il se voyait dans l'obligation de dire quelque chose.

— Plus personne ne pourra faire de mal à Alice.

Elle serra la mâchoire et continua à désigner du doigt l'arrière de l'habitation.

— Alors pourquoi pleure-t-elle ?

L'espace d'un instant, O'Sullivan crut percevoir des sanglots qui provenaient d'une autre pièce de la maison.

Les sanglots d'une jeune fille.

Il se redressa, tourna légèrement la tête sur le côté et écouta attentivement.

Rien.

Son imagination, il en était sûr, lui jouait des tours. L'hystérie d'Elissa était contagieuse. Personne ne pleurait. On n'entendait rien hormis le bruit de leurs respirations.

Et pourtant, pendant encore quelques secondes, il demeura l'oreille tendue, immobile tel un cerf au beau milieu d'un champ.

CHAPITRE VINGT-TROIS

SAMANTHA REVINT AVEC UNE PIZZA ET DEUX assiettes dans l'autre main.

— Une méditerranéenne. Tout juste sortie du four !

Après avoir déposé le tout, Samantha souleva la fine pâte à l'aide d'une spatule et servit sur chaque assiette une tranche de forme triangulaire.

— Et voilà. Désirez-vous autre chose ? Non ? Bon appétit.

— Ça a l'air délicieux.

Jeremy souleva sa part. Du fromage coula dans son assiette. Il enroula le filament autour de son doigt et le replaça sur son morceau de pizza.

— En vrai, c'est encore meilleur !

Greta plia sa tranche et mordit dedans avant d'agiter la main devant sa bouche.

— Oh ! C'est chaud.

Ils se mirent à manger plus lentement et Greta se pencha vers lui.

— Je peux te poser une question ? C'est personnel. Si tu ne veux pas en parler, je comprendrai parfaitement. Mais si ça ne t'ennuie pas, je préfère m'adresser directement à toi, plutôt que d'écouter les rumeurs.

— Pas de problème.

— Que s'est-il passé ? Pourquoi est-ce que tu es parti si longtemps ?

Jeremy regarda fixement la table et remarqua le vernis qui couvrait les nervures du bois. Il aperçut l'ombre de son reflet. Obscure. Menaçante.

Elle tendit le bras par-dessus la table et posa une main sur la sienne.

— Pardon. C'était impoli de ma part. Je n'aurais pas dû te demander ça.

— Ce n'est rien. Ça ne me dérange pas du tout de te le dire.

Cela lui faisait penser à la légende de la femme dans les bois. Les gens qui, comme Kevin, savaient qu'il était de retour répandaient toutes sortes de rumeurs en ville. Cela n'avait toutefois rien de surprenant. Il souhaitait par-dessus tout que Greta entende la vérité, du moins telle qu'il se la rappelait, sortir de sa bouche. C'était la moindre des choses.

— J'avais huit ans... commença-t-il.

———

Jeremy se trouvait dans sa chambre. Il entendait ses parents se disputer au rez-de-chaussée. Malgré son jeune âge, il avait conscience que quelque chose ne tournait pas rond. D'habitude, ils ne s'adressaient même pas la parole. Les éclats de voix lui faisaient peur.

Il s'aventura dans le couloir. D'ici, il percevait de plus belle leurs cris. Il se dirigea vers les escaliers sur la pointe des pieds. Quand bien même il avancerait à pas d'éléphant sur le palier, ils ne l'entendraient pas. Il n'avait tout simplement pas envie qu'on le surprenne à écouter en cachette.

Il s'arrêta au milieu des marches, s'accroupit et appuya son visage entre les lames de la rambarde.

— Je n'aurais jamais cru ça de toi, se lamentait son père qui avait cessé de crier. Je n'ai rien vu venir. Je veux dire, je n'aurais jamais imaginé que tu me ferais ça. Que tu nous ferais ça. Et notre famille ? Et Jeremy ? Est-ce que tu as pensé à nous une minute ?

— Ce n'est pas ce que tu crois, répondit sa mère.

— Non ? rétorqua-t-il d'une manière qui trahissait une agitation grandissante. C'était comment, Erica ? Dis-le-moi. Parce que je n'y étais pas. C'était comment ?

— Abe, arrête. Lâche-moi. Tu me fais mal.

— Je veux savoir, ma chère, cracha son père d'une voix venimeuse. Réponds-moi.

— Lâche-moi, Abe, riposta sa mère d'un ton semblable, quoique hésitant. On peut en parler. Mais pas dans ces conditions.

Jeremy descendit les escaliers et une fois en bas, il s'arma de courage et jeta un regard derrière la rampe. Il voyait son père de dos. Sa mère avait l'air plaquée contre le plan de travail.

Il voulait qu'ils arrêtent de se disputer.

Son père leva la main au-dessus de sa tête.

Jeremy voulait qu'ils arrêtent de crier.

La main de son père s'abattit.

Jeremy se couvrit les oreilles et ouvrit la bouche pour hurler.

Il entendit quelque chose claquer. Sa mère bascula en arrière et disparut de son champ visuel tandis que son père tendait les mains vers elle.

Elle s'écroula par terre.

Il apercevait ses jambes sur le sol.

Jeremy ne se souvenait pas s'il avait réellement crié. C'était possible. Toutefois, son père n'avait pas regardé une seule fois dans sa direction, alors peut-être était-il resté silencieux.

— Ça suffit. Lève-toi, Erica. Arrête ton cinéma.

Son père s'agenouilla. Jeremy le vit se pencher sur sa mère. On aurait dit qu'il la secouait par les épaules.

Jeremy s'approcha. Il resta près du mur. S'il était surpris à espionner, il serait puni. Il était hors de question qu'il passe le week-end ici. Tout le monde allait à la pêche. Il avait hâte d'essayer ses nouveaux leurres.

Il avait un poids sur l'estomac. Malgré cela, il se sentait embarbouillé. Il posa une main sur son nombril et exerça une forte pression qui ne soulagea en rien ses nausées.

Son père pleurait. Il ne se souvenait pas de l'avoir déjà vu pleurer une seule fois auparavant.

Les larmes lui montèrent aux yeux.

— Réveille-toi, Erica. Lève-toi.

Quelque chose clochait chez sa mère.

La lumière vive et aveuglante du soleil couchant brillait directement dans la cuisine. Jeremy se risqua à avancer d'un autre pas. Il se trouvait loin du refuge protecteur des escaliers. Il fit de son mieux pour se fondre dans le décor et rester invisible.

C'est alors que la porte de derrière s'ouvrit...

———

Jeremy se rassit sur la banquette de la pizzeria et inspira profondément.

— Jeremy ? Qu'est-ce qui se passe ?

Il s'était souvenu de quelque chose. C'était la première fois. Pendant toutes les années où il s'était entretenu avec son médecin, y compris au cours des séances de thérapie de groupe, jamais il ne s'était rappelé avoir vu la porte de derrière s'ouvrir.

Cette prise de conscience l'avait conduit à interrompre son récit.

— Allons-nous-en, lança Jeremy en repoussant son assiette.

— Est-ce que ça va ? demanda Greta en se glissant près de Jeremy.

Les muscles de son corps se raidirent et se contractèrent. Ses doigts se recourbèrent comme si, telle une sorcière, les articulations de ses mains étaient noueuses et difformes. Il souffla et s'extirpa du box, incapable de remplir ses poumons.

— Je peux te reconduire chez toi, mais on doit partir maintenant.

Il ignorait la raison de son anxiété.

Le souvenir qui lui était revenu en mémoire l'avait déstabilisé.

Du coin de l'œil, il aperçut Samantha l'observer.

Greta le regardait fixement, les lèvres entrouvertes et les yeux écarquillés.

— Et si on s'asseyait une minute ? Ça te permettrait de te calmer.

Il essaya intérieurement de compter jusqu'à dix.

Il ne put aller au-delà de trois. Il se sentait à l'étroit dans ses vêtements. Il tira sur son col sans réussir à atténuer cette sensation oppressante. Il fit courir ses doigts le long de ses bras, mais les tremblements de son corps persistèrent.

— Tu sais quoi ? intervint Samantha. Si tu dois te

dépêcher de partir, je m'arrangerai pour que Greta rentre chez elle sans problème. Ne te tracasse pas.

Elle avait peur de lui. Tout, dans son attitude, le suggérait. Elle semblait prête à le frapper avec le rouleau à pâtisserie recouvert de farine qu'elle tenait négligemment dans sa main droite.

— Ça ne t'ennuie pas ?

Jeremy regarda Greta dans les yeux.

Il aurait plongé son regard dans le sien pendant toute la soirée si elle lui en avait laissé la possibilité.

Si les choses ne s'étaient pas soudainement détériorées.

— Ah, ouais. Oui. Pas de problème.

Avait-elle peur de lui, elle aussi ?

Il leur faisait peur à toutes les deux. C'était une évidence.

Tu agis vraiment comme un cinglé ! pensa-t-il en se triturant les cheveux.

C'était mieux ainsi. Jeremy était persuadé qu'ils ne se reverraient plus jamais après la manière dont il s'était comporté ce soir. Il ne pouvait pas lui en vouloir. Il s'éloigna du box à reculons pour se diriger vers la porte et tenta de lui adresser un signe de la main.

Il avait l'air ridicule et baissa le bras.

— Merci, lança-t-il. La pizza était excellente.

— Contente qu'elle t'ait plu.

Samantha s'avança dans la salle à manger en direction de Greta. Ses gestes protecteurs n'échappaient pas à Jeremy. S'il décidait brusquement de retourner vers le box, elle le frapperait à coup sûr.

— Reviens quand tu veux.

Il sourit. Ça ne serait probablement pas le cas.

Il poussa la porte qui s'ouvrit sur un tintement de clochette. Il ne se souvenait pas l'avoir entendue lorsqu'ils étaient entrés. C'était étrange.

— Jeremy ! lança Greta. Envoie-moi un texto quand tu seras arrivé chez toi. Comme ça, je saurai que tu es bien rentré. D'accord ?

La bouche sèche, il n'essaya pas de répondre. Il se contenta de hocher la tête et laissa la porte se refermer. Il enfourcha son cyclomoteur et mit son casque. Il passa un temps fou à triturer maladroitement les sangles afin d'ajuster les fixations. Finalement, il renonça et démarra le scooter à la poussette avant de s'éloigner.

Savoir qu'il ne reviendrait pas l'attristait également. C'était non seulement la meilleure pizza, mais aussi la meilleure nourriture qu'il ait jamais mangée.

CHAPITRE VINGT-QUATRE

MARDI 27 SEPTEMBRE

Un bruit soudain réveilla Jeremy en sursaut. Il se redressa dans son lit et regarda autour de lui. La pièce était plongée dans l'obscurité. Il avait la vague sensation de somnoler encore. Il ferma les yeux et secoua la tête afin d'essayer d'y voir plus clair. Il n'avait pas le souvenir d'être allé se coucher dans sa chambre. Il devrait normalement être allongé sur le canapé. C'était là qu'il avait dormi les jours précédents.

Oncle Jack.

Il avait commencé sa nuit sur le canapé. L'oncle Jack l'avait réveillé et convaincu de regagner sa chambre. Trop dans les vapes pour discuter, il avait accepté.

Du moins, il se disait que les choses s'étaient probablement déroulées de cette façon.

C'était simple : il n'était pas sur le canapé du salon, mais dans sa chambre à l'étage. Les lumières étaient éteintes. Et un fracas l'avait tiré de son sommeil.

Il avait oublié le bruit. S'agissait-il d'un coup ? D'une éraflure ? De quelque chose que l'on brisait ?

Le vacarme en question provenait-il de sa chambre ? Ou bien de l'autre côté de la porte fermée ?

Lentement, ses yeux s'habituèrent à la pénombre. L'obscurité régnait toujours dans la pièce, mais à un degré moindre. Heureusement, la lumière brillante du clair de lune rétroéclairait les stores baissés.

Il regarda fixement le mur en face de son lit.

Une ombre ténébreuse bougea dans le coin.

Jeremy avait envie de fermer les yeux. Il voulait s'allonger et enfouir sa tête sous les draps. Se cacher de la créature qui se trouvait avec lui dans la pièce lui semblait le plus logique.

Il garda les paupières ouvertes. Sans cligner des yeux, il fixa l'obscurité.

Il aperçut une silhouette. La silhouette de quelqu'un.

Son cœur se mit à battre de plus en plus vite, cognant douloureusement dans sa poitrine. *Un cœur qui battait la chamade pouvait-il vous casser des côtes ?* se demandait-il.

Il était hors de question qu'il se lève et se précipite vers la porte. Ses muscles et ses jambes étaient comme paralysés. S'il sautait à bas de son lit, il serait bien incapable de tenir debout, encore moins de courir à travers la chambre.

Quelque chose brillait dans le coin de la pièce. Il s'agissait de deux petites lumières en forme d'orbe. Sauf que ce n'étaient pas des lumières : c'était quelque chose de plus incandescent. Les orbes qui flottaient à mi-hauteur s'éteignirent.

Jeremy espérait que le manège était terminé et trouva la force de se reculer dans son lit, les épaules plaquées contre le mur. Il continuait à fixer du regard le coin de la pièce.

Un hurlement se fit entendre à l'extérieur tandis que le vent se levait. Les branches des arbres s'agitaient, projetant des ombres sur les stores baissés. La maison se mit à craquer et à gémir.

Jeremy était couvert de sueur. Son t-shirt trempé collait à sa peau. Il ne pouvait s'empêcher de frissonner. Ses dents claquèrent. Le thermostat avait beau indiquer vingt degrés, la chambre était glaciale.

De la grosseur d'une bille et en forme d'amande, les orbes réapparurent. Elles brillaient plus faiblement cette fois.

Leur taille et leur intensité augmentèrent.

Jeremy perçut un gémissement et remonta les draps contre sa poitrine. Il secoua la tête. Si seulement il pouvait s'agir d'un rêve.

— Où est-elle ? demanda l'ombre en s'avançant.

Les orbes étaient en réalité des yeux. Ses yeux à *elle*. À présent illuminés et d'un blanc éclatant, ils le fixaient. Les mains dressées telles des griffes, elle le chargea en poussant un grognement.

Jeremy tenta en vain de se plaquer contre le mur. Ses pieds nus dérapaient sur les draps de coton. Alors qu'elle s'approchait du lit et bondissait en l'air, il roula vers la droite. Il tomba du matelas et se cogna la tête contre la cloison. Un bruit sourd résonna à l'intérieur de sa boîte crânienne et retentit entre ses oreilles.

Jeremy n'avait pas d'autre choix que de prendre son courage à deux mains et se précipiter vers la porte. Surmonter sa peur était beaucoup plus facile à dire qu'à faire. Prenant conscience qu'il devait agir afin de survivre et de préserver sa santé mentale, il se traîna sur le sol aussi vite qu'il le put. Alors qu'il s'apprêtait à contourner le pied du lit, la tête de la femme surgit à l'extrémité opposée. Ses yeux rougeoyaient désormais comme des flammes. Telle de la boue liquide mélangée à du marc de café, des coulures sombres s'échappaient des coins de sa bouche. Elle agrippa le pied du lit et ses longs ongles lacérèrent le bois tandis qu'elle se redressait.

Tandis que Jeremy luttait pour se relever, elle bondit vers l'avant. Lorsqu'elle s'écrasa sur son dos, il tomba à plat ventre sur le plancher. Il se sentait oppressé et avait l'impression d'avoir un bloc de glace étalé tout le long du corps. Le froid saisissant qui l'enveloppait lui brûlait l'épiderme. La joue comprimée contre le parquet, il aperçut son propre souffle s'échapper de ses lèvres juste devant lui. Par opposition, une bouffée de chaleur lui envahit la nuque. De la bave chaude dégoulinait sur sa peau pour se répandre jusque dans son dos.

Les paumes à plat sur le sol, Jeremy se redressa et roula sur le côté afin d'essayer de se débarrasser de la créature féminine. Il replia ses jambes vers l'avant et parvint à s'agenouiller. Il balança les bras de haut en bas, luttant pour se libérer de ses griffes. Une vague de douleur déferla dans son corps, pulsant dans ses veines et ses artères, et irradia sur chaque parcelle de sa peau.

Enfin libre, Jeremy trébucha et tomba en avant près de la porte. Sa main agrippa le bouton et le tourna au moment même où la créature se mettait debout. Il ne put détourner les yeux tandis qu'elle relevait lentement la tête et croisait une fois de plus son regard.

Il ouvrit la porte. De l'autre côté, le corridor était plongé dans l'obscurité. Ses jambes refusaient de lui obéir.

Elle fonça vers lui.

Stimulé, Jeremy sortit précipitamment de la pièce et claqua la porte au nez de la créature à l'apparence féminine.

Le palier s'illumina.

La clarté soudaine le fit grimacer et il leva un bras pour se protéger les yeux.

— Jeremy ! Qu'est-ce que tu fabriques ?

Jack se tenait sur le seuil de sa chambre, la main sur l'interrupteur du couloir.

— Jeremy !

———

Retrouver le sommeil s'était avéré impossible.

Jack s'affairait à frire des œufs sur la cuisinière pendant que Jeremy beurrait des tartines. Tous deux travaillaient en silence. Jeremy sortit le jus d'orange du réfrigérateur et remplit deux verres. Jack prit deux fourchettes dans un tiroir et les posa sur la table. Jeremy se tenait debout près de Jack, une assiette dans chaque main.

— Je les ai fait cuire sur le plat, annonça Jack en glissant trois œufs dans chaque assiette, un large sourire aux lèvres. Tapote le milieu avec les coins de ton pain grillé et les jaunes vont se répandre.

— Ils ont l'air parfaits.

Jeremy s'assit, imbiba son pain grillé et, comme son oncle le lui avait promis, le jaune s'écoula sur les blancs. Il l'absorba à l'aide du pain avant d'en prendre une bouchée.

— C'est encore meilleur en vrai, déclara-t-il.

Tous deux ajoutèrent du sel et du poivre à leurs œufs.

— Il faut que je te dise... tu m'inquiètes. Quand tu ne dors pas sur le canapé, tu fais des cauchemars dans ta chambre. Ça m'arrive bien aussi de temps en temps, mais toi, tu te mets à crier et à courir dans la maison. Je ne sais pas quelle attitude adopter, avoua Jack qui tenait une fourchette dans une main et de l'autre, un morceau de pain grillé entamé.

Jeremy connaissait la manière dont on traitait les troubles du sommeil à St Mary's. On administrait aux patients des sédatifs puissants qui présentaient l'avantage de les faire dormir d'une traite la nuit, mais les réduisaient à l'état de zombies toute la journée. Les médicaments qu'il prenait étaient bien assez forts, même s'il ne sentait jamais qu'il fonctionnait au ralenti ou perdait le contrôle de ses facultés.

— Je peux te poser une question ?

À l'aide du côté de sa fourchette, Jack coupa les blancs qui entouraient un jaune d'œuf avant de le plier et de l'enfourner dans sa bouche.

— Tu sais bien que oui.

Les choix qui s'offraient à Jeremy étaient limités. Il était peut-être mieux à St Mary's. S'il perdait la raison, son oncle risquait fort de s'en apercevoir. Même s'il se réjouissait de se trouver loin de l'hôpital, il sentait que sa place n'était plus à Fort Keeps.

— Le problème, c'est qu'après je ne pourrai plus faire marche arrière.

— Faire marche arrière ?

— Je crois que cette maison est hantée, annonça Jeremy en posant sa fourchette.

Jack mastiqua lentement. Il s'installa confortablement sur sa chaise. Au moment de porter le verre de jus d'orange à ses lèvres, ses yeux scrutèrent le plafond. Il le but et s'essuya la bouche avec son avant-bras.

— J'en suis presque sûr.

Jeremy ne s'attendait pas à cette réponse et arqua les sourcils.

— Comment ça... tu en es presque sûr ?

Il était obligé de lui poser la question. L'oncle Jack l'avait sans doute mal compris. Il doutait d'avoir le courage d'oser répéter ce qu'il venait de dire.

Jack agrippa le bord de la table et lissa le dessus de la nappe avec la paume de ses mains.

— Je partage ton avis en ce qui concerne cette maison. Je suis presque sûr qu'elle est hantée. J'envisageais même de la vendre.

— Parce qu'elle était hantée ?

Jack acquiesça d'un hochement de tête.

— Ce n'est pas vraiment à moi de le faire. Elle t'appartient. En plus, j'avais presque réussi à me convaincre que je me faisais des idées. Que j'imaginais des choses. Je n'allais quand même pas chanter sur les toits que j'entendais des bruits ou que je voyais des fantômes, ajouta-t-il en se penchant vers Jeremy.

— Tu l'as aperçue ?

— Qui ? Une femme ? Un revenant ? Non, je n'ai rien vu de tel.

— Alors qu'est-ce que tu as vu ?

— J'ai constaté que des objets se déplaçaient. J'ai trouvé des portes de placards ouvertes, des chaises de cuisine dans le salon, des lumières allumées quand je les savais éteintes, ou inversement. Et le bruit, la nuit, le bruit ! Au début, j'aurais juré que c'étaient des craquements semblables à ceux que l'on entend dans toutes les vieilles maisons comme celle-ci.

Jack secoua la tête et fit courir ses doigts dans ses cheveux en bataille.

— Et puis, ces deux dernières années, ça s'est calmé. En fait, aucun évènement étrange ne s'est produit pendant un moment. Jusqu'à...

— Jusqu'à ce que je revienne ? compléta Jeremy en pinçant les lèvres.

— On dirait bien. Comme je viens de te l'expliquer, je voulais vendre la maison, mais je me suis dit que je me faisais peut-être des idées et que ce serait injuste envers toi. C'était celle de tes parents. Tu as grandi ici.

Jack saisit à nouveau sa fourchette et poussa les œufs qui se trouvaient dans son assiette.

— J'ai pensé que ton retour me permettrait de découvrir si je perdais ou non la raison.

Les troubles mentaux pouvaient s'avérer héréditaires.

— Tu ne deviens certainement pas fou, oncle Jack. À moins que...

— À moins que quoi ?

Jack prit un œuf et le posa sur son pain grillé qu'il plia en deux. Le jaune coula entre les croûtes.

— À moins que *nous* le devenions tous les deux.

CHAPITRE VINGT-CINQ

JEREMY SE DOUCHA SANS FERMER LA PORTE DE LA salle de bain. Puis, il s'habilla en prenant soin de maintenir ouverte celle de sa chambre. L'avantage de la conversation qu'il avait eue avec son oncle résidait dans la conclusion à laquelle ils étaient parvenus : ils effectueraient de petites réparations, repeindraient certaines pièces, contacteraient un agent immobilier et mettraient la maison en vente.

Cette maison n'était pas davantage la sienne que ne l'avait été sa chambre à St Mary's.

Après avoir remonté la fermeture éclair de son jean, il s'empara de son portable qui se rechargeait sur sa table de chevet. Greta l'avait appelé à plusieurs reprises sans toutefois laisser de message. Dix SMS de sa part se trouvaient en attente dans sa boîte de réception, mis en évidence par une lumière bleue clignotante. Il fourra le téléphone dans sa poche.

La perspective de laisser Greta derrière lui aurait peut-être réussi à le convaincre qu'il était préférable de garder la maison. Pourtant, après la manière dont il s'était comporté l'autre soir, il avait fait volte-face et pensait désormais que déménager le plus loin possible de Fort Keeps vaudrait mieux pour tout le monde.

Tout en guettant le coin le plus reculé de sa chambre comme s'il était dans l'*attente* de quelque chose, Jeremy se fraya un chemin hors de la pièce. Il traversa le couloir et descendit les escaliers en prenant soin de regarder sans cesse par-dessus son épaule. L'oncle Jack était parti au travail avant qu'il n'ait sauté dans la douche. Il aurait bien aimé que ce dernier patiente jusqu'à ce qu'il ait fini de se laver. Que son oncle comprenne ou non la situation lui était égal. Jamais il ne pourrait s'avouer lâche à ce point. Mettre la maison en vente prendrait peut-être des semaines. Il devait chercher un moyen de surmonter sa peur lorsqu'il s'y trouvait seul, sinon il se verrait obligé de planter une tente dans le jardin.

Cela aurait pu se concevoir si l'on était encore en été.

À l'avant de la maison, un éclair illumina le salon. Jeremy s'immobilisa face à l'intensité de la lumière. Il scruta la baie vitrée et fit deux bonds en arrière en entendant le tonnerre claquer.

La foudre avait dû déchirer le ciel et la pluie se mit à tomber d'un seul coup, pilonnant le toit et l'auvent.

Ce n'était pas le moment de partir travailler. Il devait encore patienter pendant quelques heures. Pourtant, Jeremy voulait sortir de la maison. La pluie, cependant, l'en dissuadait et pouvait même s'avérer dangereuse s'il se trouvait sur son cyclomoteur.

Un nouvel éclair illumina le ciel, trouant les nuages d'orage sinistres et sombres. Cette fois, le tonnerre résonna en un long grondement qui s'intensifia. Aussitôt le crescendo atteint, la cacophonie s'évanouit pour laisser place à une salve de crépitements et de roulements.

On recommandait aux gens de ne jamais s'abriter sous un arbre en cas d'éclairs. Les Adirondacks étaient peuplés d'arbres et il était hors de question qu'il se rende à pied en ville.

Sa jambe se mit à vibrer. Surpris, il leva un pied et plia le genou comme s'il s'apprêtait à chasser une tarentule de sa cuisse.

C'était son téléphone. Il regarda l'écran. Greta. Encore un SMS.

Il s'assit sur le canapé et consulta ses messages. Elle s'inquiétait pour lui. Voilà qui expliquait tout.

Désolé d'avoir mal agi, écrivit-il avant d'appuyer sur « envoyer ».

Tu évites mes appels ? répondit-elle.

G laissé mon portable recharger toute la nuit.

Ça va ?

Oui.

Je veux savoir ce qui s'est passé hier ! Tu bosses ajd ? ajouta-t-elle aussitôt après.

Ouais.

Il ignora sa première remarque en espérant qu'elle se contenterait de sa réponse laconique.

:-(

Jeremy sourit.

Pourquoi ? T en repos ?

Oui ! Viens.

La proposition avait beau paraître alléchante, ce n'était pas une très bonne idée. Il avait déjà joué la carte de la maladie et Barry méritait qu'il se donne à fond dans son travail.

1posibl. A+ quand j'aurai fini ?

OK. Vi1 au café.

Jeremy regarda dehors. La pluie semblait tomber furieusement. Le vent était tout aussi déchaîné. Qu'il prenne le cyclomoteur ou se rende en ville à pied, il se ferait tremper. L'idée lui vint d'emporter avec lui des vêtements de rechange, mais cela l'obligeait à retourner à l'étage pour aller les chercher dans sa chambre. Il pensait avoir fait usage de toute sa bravoure pour se doucher et s'habiller.

Je risque d'être trempé ou de puer la popote.

Pas de problème. Si tu préfères, apporte des vêtements de rechange.

Il regarda en direction de l'escalier et soupira.

Ça marche. A+

On va parler d'hier !

Il scruta son message et entreprit de lui indiquer de tirer une croix sur leur rencontre. Puis, il se ravisa et répondit finalement *D'accord* avant d'appuyer sur « envoyer ».

Il se leva, empocha son téléphone et s'arma de courage pour monter l'escalier.

Il y eut un nouvel éclair. Il aperçut des ombres danser dans le couloir en haut des marches. Le claquement de tonnerre fit trembler les vitres.

— Hors de question que je retourne là-haut.

Jeremy s'empara de ses clés et de sa veste. Assumant sa lâcheté, il sortit précipitamment de la maison pour affronter la tempête.

———

Jeremy s'était dit que la pluie allait très certainement s'arrêter d'ici la fin de son service. Son manteau n'avait pas encore eu complètement le temps de sécher après son trajet pour se rendre au travail. Il grimaça en enfilant les manches froides et humides. Lorsqu'il sortit par l'arrière du restaurant en compagnie de Barry, il pleuvait toujours. La température ne dépassait pas dix degrés, ce qui n'arrangeait rien. Il remonta la fermeture éclair de son manteau et s'enveloppa de ses bras.

— Fais attention en rentrant à la maison sur ce truc, le prévint Barry en pointant un doigt accusateur vers le cyclomoteur. Tu veux le mettre à l'arrière de mon camion ? Je te raccompagnerai. La chaussée pourrait bien glisser. Si tu te casses la figure, je n'aurai plus qu'à afficher une pancarte de recrutement dans la vitrine. Tu es déjà formé et ça m'embêterait beaucoup de devoir revenir à la case départ. Qu'est-ce que tu en dis ?

Greta voulait le rencontrer. Même s'il était fatigué après avoir travaillé dur toute la journée, il n'avait pas l'intention de manquer leur rancard.

— C'est gentil à vous, mais je ne compte pas rentrer à la maison tout de suite, répondit Jeremy.

Barry lui adressa un large sourire et leva un pouce en l'air.

— Compris. Promets-moi juste de faire attention. Et surtout, ne l'emmène pas faire un tour sur cette pétoire. Pas ce soir. Pas dans ces conditions. Les routes sont suffisamment dangereuses comme ça par ici. Avec toute cette pluie, des coulées de boue pourraient emporter la chaussée.

— Je vous donne ma parole. On va seulement boire un café.

— Un café ?

Le sourire de Barry s'élargit. Puis, il serra la mâchoire et pointa un doigt vers Jeremy.

— Sois prudent et fais attention. Entendu ?

— Message reçu 5/5.

— Tu as assuré ce soir. On a eu beaucoup de clients. La pluie fait sortir les gens. Je ne sais pas pourquoi. Ils aiment aller au resto quand il pleut, j'imagine. Tu as bien tenu le rythme.

Barry monta dans son camion.

— Mets ton casque !

Barry klaxonna en quittant le parking.

Jeremy regrettait de n'avoir emporté aucun vêtement de rechange. Il serait certes mouillé, mais ne se sentirait pas aussi sale. Récurer des casseroles, des poêles et de la vaisselle dégageait une odeur bien particulière, difficile à décrire. Ses mains puaient la viande avariée marinée au savon.

C'était trop tard, de toute façon. Il ne disposait pas de vêtements de rechange. Il était trempé jusqu'aux os et l'heure était venue pour lui de prendre le chemin du café.

Jeremy gara son cyclomoteur devant le Paparazzi. Il ignorait si l'établissement avait connu une journée chargée ou non, mais il constata que ce dernier était désormais désert. Contrairement au restaurant, on aurait dit que les gens n'étaient pas sortis de chez eux pour consommer un café.

Il courut en direction de la porte. Il n'y avait pourtant aucune logique à se précipiter. Il était déjà trempé. Qu'il entre dans le café en courant ou non n'y changerait rien. Pourtant, il s'était rué vers la porte.

Des flashs crépitèrent dès qu'il entra.

Il était une vedette !

À l'intérieur, les murs du Paparazzi étaient ornés de photos en papier glacé à l'effigie d'innombrables acteurs et musiciens célèbres. D'autres objets de collection précieux étaient exposés dans une vitrine. Les gants de boxe que portait Jon Voight dans le film *Le Champion* pendaient sur les chaussures de bowling d'Andrew McCarthy dans *Mannequin*. Accrochés dans le présentoir derrière le manteau en cuir usagé de Snake Plissken, un disque d'argent et une plaque encadrés commémoraient *Beauty and the Beat*, l'album certifié triple platine des Go-Go's.

On y trouvait encore bien d'autres choses, mais errer dans le café à consulter les renseignements se rapportant à chacun des objets mettait Jeremy mal à l'aise.

— Je peux vous aider ?

Une femme se tenait derrière le comptoir. Ses cheveux. Ses yeux. Son sourire. Il la reconnut immédiatement. Elle portait un badge sur lequel on pouvait lire *Erica*.

— Je suis venu voir Greta.

La femme fronça les sourcils.

— C'est toi, Jeremy Raines ?

Greta avait-elle parlé de lui à sa mère ? Il s'efforça de ne pas sourire. Il existait une légère probabilité qu'il plaise à Greta – qu'elle s'intéresse à lui tout comme il l'appréciait –, mais il n'en était pas sûr.

199

Peut-être était-elle simplement sympathique. Peut-être le considérait-elle seulement comme un ami.

Même s'il lui plaisait, elle était déjà sortie avec des garçons auparavant. Lui n'avait jamais vraiment adressé la parole à une fille, excepté lorsqu'il essayait de faire en sorte que CarryAnn ne mange pas les pièces du jeu de tock[1] à St Mary's. Il tendit la main et grimaça intérieurement en espérant qu'elle ne sentait pas l'odeur qu'il dégageait.

— Oui, madame. Ravi de faire votre connaissance.

— Eh bien, je suis perplexe, lança-t-elle en plissant le front. Elle m'a envoyé un texto ce matin pour me dire qu'elle passait la journée avec... toi, pas vrai ?

Avec moi ? Jeremy fronça les sourcils. Si elle avait planifié quelque chose derrière le dos de ses parents et s'était servie de lui comme alibi ou prétexte, il ne voulait pas raconter de bêtises. Il n'avait absolument aucune envie de lui créer des ennuis. En revanche, il aurait préféré qu'elle lui en fasse part. Il se trouvait désormais en difficulté.

Était-elle avec Kevin ?

Il regrettait que ce dernier soit, en quelque sorte, la seule autre personne qu'il connaissait en ville.

— Est-ce qu'elle était avec toi aujourd'hui ?

Elle avait l'air abattue. Son inquiétude était palpable tandis qu'elle le regardait, l'observait même, les yeux remplis d'espoir.

Jeremy se sentait presque pris au piège. Il ne voulait pas mentir à cette femme. Il était important de toujours dire la vérité. Toutefois, protéger son unique amie lui semblait essentiel aussi. Il avait l'impression d'être tiraillé dans des directions opposées. Il n'existait pas de réponse simple. S'il pouvait revenir en arrière, il se serait abstenu d'entrer dans le café.

Voyager dans le temps n'était cependant que pure fantaisie.

— Madame Murray...

Elle sortit un téléphone de son tablier.

— J'appelle la police.

Elle composa le numéro, puis regarda vers l'arrière du café.

— Abe ? Abe !

Une porte s'ouvrit.

— Allô ? fit Erica. Je dois voir un officier de police.

Elle communiqua le nom et l'adresse du Paparazzi, ainsi que son numéro de téléphone.

— Qu'est-ce qui se passe ?

Abe portait un tablier blanc à l'air flambant neuf, sans aucun pli. Il s'essuya les mains sur une serviette blanche et regarda fixement Jeremy.

Jeremy crut tout d'abord qu'il s'adressait à sa femme. Il se tenait devant le comptoir, embarrassé et mal à l'aise.

Erica posa une main tremblante sur l'avant-bras de son mari.

— La raison pour laquelle je veux voir un officier ? Je pense qu'il est peut-être arrivé quelque chose à ma fille.

CHAPITRE VINGT-SIX

LES JAMBES DE JEREMY MANQUÈRENT DE SE dérober. Il se pencha en avant et agrippa le comptoir pour s'empêcher de perdre l'équilibre. Erica Murray était au téléphone avec les secours. Apparemment, Greta avait dit à sa mère qu'ils passaient la journée ensemble.

— Elle a dix-huit ans.

Erica serra le bras de son mari Abe, comme si elle cherchait à puiser dans son énergie de la force et peut-être du courage.

— Non, elle ne prend aucun médicament. Non. Aucun trouble mental diagnostiqué.

Erica le toisait d'un air accusateur tout en répondant aux questions.

Jeremy avait peur de la mère de Greta. Il se sentait nerveux et respirait par saccades.

— Non. Elle n'avait encore jamais fait ça.

Heureusement, Erica était à nouveau occupée à fournir des informations à l'opérateur du centre d'appel d'urgence. Le rouge lui monta aux joues et elle maugréa en serrant les dents :

— Pouvez-vous envoyer immédiatement un officier à mon café ? Ce n'est pas avec ces questions qu'on va retrouver ma fille !

— Est-ce que tu y es pour quelque chose ? demanda Abe.

Il laissa tomber sur le comptoir la serviette qu'il tenait et posa les mains sur ses hanches sans cesser de fixer Jeremy du regard. Il était indéniablement imposant.

Par inadvertance, Jeremy recula d'un pas et se désigna du doigt.

— Moi ? Non, monsieur.

Erica Murray n'avait pas laissé assez de temps à Jeremy pour décider de ce qu'il devait faire. Il aurait pu dire que Greta avait passé la journée avec lui. Mentir le mettait cependant mal à l'aise. À l'exception d'un petit bobard raconté de temps à autre à St Mary's, il avait été amené à croire que fabuler était mal et vous attirait encore plus de problèmes. Voire des ennuis.

Son comportement indécis avait incité Erica à appeler le shérif.

C'était probablement ce qu'il y avait de mieux à faire. Même s'il n'appréciait pas O'Sullivan, ce dernier n'en demeurait pas moins un professionnel qualifié. C'était exactement ce dont les Murray avaient besoin en ce moment précis. Il leur fallait quelqu'un capable de réagir, de faire quelque chose et d'apporter tôt ou tard des éclaircissements sur la situation.

— Je ne sais pas comment elle était habillée, expliqua Erica. Elle était encore couchée quand je suis partie au travail. Alors sûrement un pyjama. C'est ce qu'elle portait la dernière fois que je l'ai vue. Dix-huit ans, je vous l'ai déjà dit. MARGARETA Murray.

Abe regarda enfin sa femme.

— Je ne l'ai pas vue non plus, chérie.

Erica mit fin à la conversation et posa son téléphone sur la serviette.

— Est-ce qu'elle t'a envoyé un message ou bien appelé aujourd'hui ?

Jeremy sortit son téléphone. Son bras se mit à trembler. Il tenait l'appareil des deux mains.

— Ouais. Euh, oui, je veux dire. Oui, elle m'a contacté.

— Quand ? Quand est-ce qu'elle t'a contacté pour la dernière fois ? demanda Abe.

— Ce matin. On a échangé des textos.

Jeremy passa le doigt sur l'écran de son téléphone et ouvrit la conversation qu'ils avaient eue par SMS. Il n'avait rien à cacher et montra son portable aux parents de Greta.

Ils se collèrent l'un à l'autre pour lire le contenu de leur échange.

Abe haussa un sourcil et regarda à nouveau fixement Jeremy.

— C'est toi le gosse des Raines ?

— Je devrais peut-être y aller, s'excusa Jeremy en reprenant son téléphone.

Abe contourna en vitesse le comptoir et lui bloqua la sortie.

— Je crois qu'il vaudrait mieux que tu attendes le shérif.

Jeremy ne voulait pas avoir à nouveau affaire aux représentants de la loi de Fort Keeps.

— Je n'ai rien à voir là-dedans.

Erica avait l'air à la fois en colère et triste. Des larmes roulaient sur ses joues, mais elle poussa un grognement rageur qui fit tressauter sa lèvre supérieure et la moitié de son nez.

— Elle m'a dit qu'elle passait la journée avec toi. C'est une adulte. Elle était libre de faire ce qu'elle voulait, alors pourquoi aurait-elle menti ? Pourquoi aurait-elle inventé quelque chose ? Elle n'avait aucune raison de le faire. Pourquoi m'aurait-elle dit qu'elle passait toute la journée avec toi si ce n'était pas le cas ?

L'estomac de Jeremy se retourna dans son ventre. Le ton de la conversation avait changé. Il se sentait comme une proie dans un antre truffé de dangers.

— Je n'en sais rien, répondit-il, très peu sûr d'avoir compris les questions.

Devait-il parler de Kevin ?

Peut-être que les parents de Greta n'aimaient pas Kevin. Si tel était le cas, elle préférerait dire qu'elle prévoyait de passer la journée avec quelqu'un d'autre. Peut-être même en sa compagnie, si cela pouvait apaiser leurs regards désapprobateurs ou lui éviter des questions indiscrètes plus tard.

Il avait l'impression que la pièce rétrécissait. Les murs bougeaient. Il était pris au piège.

Il sentirait bientôt le poids de tout le bâtiment peser sur son corps. Les cloisons gagnaient du terrain et rendaient sa respiration difficile. Retirer certains vêtements s'avérait efficace en pareilles circonstances. Il avait le front envahi de sueur.

Il perdit l'équilibre et vacilla sur la droite.

Abe réagit avec une telle rapidité que Jeremy fut stupéfait. L'homme tendit brusquement le bras et lui bloqua le poignet avec sa main.

— Tu n'iras nulle part. Reste ici jusqu'à ce que la police arrive. S'ils te laissent partir après t'avoir interrogé pour savoir où se trouve ma fille, alors je n'y verrai aucun inconvénient. En attendant, poursuivit Abe, en obligeant Jeremy à faire demi-tour, assieds-toi.

―――

Après l'arrivée du shérif O'Sullivan et de l'adjointe Mendoza, Jeremy s'assit près de la vitrine. Mendoza était grande et mince. Elle avait la peau basanée et portait un uniforme impeccablement repassé. Les policiers se tenaient près du comptoir et discutaient avec les Murray. Si les paroles parvenaient doucement jusqu'à l'autre bout du café, les voix portaient. Il entendait presque toute la conversation.

— Avez-vous essayé de joindre Greta sur son téléphone ? demanda O'Sullivan.

L'adjointe ouvrit un bloc-notes et attendit le stylo à la main, prête à écrire ce qui venait d'être dit.

— Je l'ai appelée à maintes reprises et je lui ai envoyé je ne sais combien de textos qui sont restés sans réponse, gémit Erica en levant les bras au ciel en signe d'incrédulité et de frustration.

Abe Murray se pencha vers les policiers pour leur murmurer quelque chose. Aucun son ne parvint aux oreilles de Jeremy. Il détourna la tête du groupe au moment même où tous les quatre se tournaient vers lui pour l'observer. Il regarda attentivement par la fenêtre. La pluie s'était enfin arrêtée. Un petit filet d'eau s'écoulait en continu le long de la rue.

O'Sullivan posa un pied sur la chaise en face de lui et se pencha en avant, un bras en appui sur sa cuisse.

Les poils des bras de Jeremy se hérissèrent. Il tenta sans succès de les lisser d'une main.

— On dirait que quelque chose te tracasse,

commença le shérif. Tu veux bien me dire ce qui te préoccupe ?

Il avait regardé suffisamment d'émissions de télévision à l'hôpital. Ce n'était jamais une bonne idée de parler à la police en l'absence d'un avocat. Les flics étaient rompus aux techniques d'interrogatoire. Ils savaient comment amadouer les gens ou les suspects afin d'obtenir des réponses. Jeremy se sentait visé.

— Je me demande simplement...

— Hein ?

O'Sullivan appuya un doigt derrière son oreille et la recourba vers l'avant.

— Parle.

Jeremy s'éclaircit la gorge. Tous les yeux étaient rivés sur lui.

— J'ai dit que je me demandais pourquoi personne ne cherche Greta.

— Tu as une idée de l'endroit par où commencer ?

Jeremy secoua la tête.

— Non ? Tu ne sais vraiment pas où trouver Greta ?

Jeremy leva la tête et son regard croisa celui d'O'Sullivan qui l'observait attentivement.

— Non, monsieur.

— Et ton téléphone ?

— Comment ça ?

Jeremy posa une main sur sa jambe et sentit sous sa paume le téléphone qui se trouvait dans sa poche.

— J'ai cru comprendre que tu avais *échangé des textos* avec Greta ce matin ?

La manière dont il avait dit « échangé des textos » donnait l'impression d'une action anormale et choquante. L'œil gauche du shérif tressauta.

Jeremy se sentit presque coupable d'admettre qu'il avait échangé des SMS avec Greta. Il n'avait rien fait de mal. Tout le monde envoyait des SMS.

— Oui.

— Vous aviez prévu de vous rencontrer ?

Encore une fois, il semblait insinuer qu'élaborer des projets était mal et désapprouvé. L'accusation était implicite, mais il se sentait directement visé.

— Oui.

Le shérif sourit. On aurait dit qu'il avait marqué des points avec ses questions et se rapprochait d'une vérité profonde et obscure.

— Alors quand l'as-tu vue pour la dernière fois ?

Jeremy n'avait pas besoin de réfléchir avant de répondre, néanmoins il s'accorda un instant de répit. Il avait la bouche sèche. Sa langue était comme enflée et collée à son palais lorsqu'il déglutissait. Cela lui arrivait parfois en présence du docteur Burkhart. Ce dernier avait pour habitude de le cuisiner en lui posant une série de questions dans un but bien précis, mais dont il était le seul à connaître le sens et, plus important encore, l'objectif.

— Hier soir.

O'Sullivan acquiesça. À la manière dont il inclina la tête sur le côté, Jeremy comprit que le shérif ne le croyait pas.

— Hier soir ? C'est bien ça ? Pas aujourd'hui ?

Jeremy secoua la tête.

— Je n'entends rien quand tu secoues la tête.

— Non. Pas aujourd'hui.

L'atmosphère devenait trop pesante. Jeremy avait besoin de la présence de son oncle. L'interrogatoire du shérif le mettait mal à l'aise. Il avait suffisamment regardé la télévision à l'hôpital pour connaître ses droits. Ce n'était pas une question de confondre réalité et fiction. Il savait que les émissions de télévision n'étaient que de simples programmes télévisés. Toutefois, elles lui avaient appris certaines choses.

— Je crois que je veux parler à mon oncle.

— Ton oncle ? Ouais. Bien sûr. On peut lui téléphoner. J'avais prévu de lui demander de venir de toute façon.

O'Sullivan se leva et fit courir ses pouces à l'intérieur de la taille de son pantalon d'uniforme.

— Dis-moi seulement à quelle heure tu es arrivé au travail ce matin.

Il avait demandé à voir son oncle et non un avocat. Peut-être que le shérif continuerait à lui poser des questions tant qu'il ne prendrait pas d'avocat. Il n'en était cependant pas sûr. Il n'avait pas d'avocat. Peut-être l'oncle Jack en avait-il un ?

— Il me semble que je suis parti travailler juste avant midi.

— Il te semble ?

— Je ne sais pas exactement. Je pointe. Barry devrait le savoir. Il pourrait vérifier ma carte de présence.

— C'est ce que nous allons faire.

Pourquoi feraient-ils cela ? Pourquoi s'intéressaient-ils à l'heure à laquelle il avait commencé le travail ?

— Je peux appeler mon oncle ?

— Une minute, mon garçon. Je veux d'abord que tu me dises ce que tu as fait avant d'aller travailler. Tu avais toute la matinée devant toi. Comment as-tu occupé ton temps ?

Le shérif O'Sullivan posa une paume sur la crosse du pistolet qu'il portait dans son holster.

— Il pleuvait.

— Oui. C'est exact.

Jeremy songea au temps qu'il avait passé dans la maison. Il avait l'impression d'y être resté pendant une éternité. Puis, il était sorti précipitamment sous la pluie pour échapper à la créature qui l'observait à l'intérieur. Combien de temps avait-il patienté sous le grand arbre de devant ? Il aurait aimé que la balançoire que son père avait installée soit encore là. Il était trop grand désormais. Après toutes ces années, la corde aurait cédé à coup sûr. Au lieu de cela et en dépit de tout bon sens, il était resté adossé à l'écorce, se contentant de scruter la maison.

— J'ai dormi tard. Je me suis préparé et je suis allé travailler. Je fais pratiquement la même chose tous les jours. Pourquoi ?

O'Sullivan fondit sur lui. Tous deux se retrouvèrent nez à nez l'un avec l'autre. La vue de Jeremy se brouilla soudainement et il fut obligé de cligner des yeux afin d'y voir plus clair. Le shérif serra les dents.

— C'est toi qui poses les questions maintenant ? Hein, qu'est-ce que ça signifie ?

— Je veux seulement appeler mon oncle. Je n'ai que dix-sept ans, vous savez.

Il se disait que décliner son âge pourrait peut-être changer la donne. À dix-sept ans, on était encore mineur, pensait-il. C'était comme cela que les choses fonctionnaient dans les émissions policières qu'il avait regardées. Les parents ou l'avocat se pointaient afin de faire sortir le suspect de la salle d'interrogatoire et réprimandaient les enquêteurs pour avoir questionné un mineur en leur absence.

— Tu n'as rien à faire ici. Je me demande bien comment ils ont pu laisser sortir quelqu'un comme toi de l'asile. Ça me dépasse !

Le shérif paraissait sur le point d'ajouter quelque chose ou de poser une autre question. Cette fois-ci, son nez et son œil tressautèrent. Puis, il recula lentement et se leva.

— Appelle donc ton oncle. Demande-lui de venir ici.

— Et ensuite, je pourrais m'en aller ?

— Et ensuite, tu devras répondre à d'autres questions !

———

Jeremy était assis seul près de la fenêtre du café. Son reflet obscurci par les gouttes de pluie qui ruisselaient sur le verre emplissait son champ de vision. Le shérif se dressa devant son adjointe et lui parla rapidement, mais pas assez fort pour que Jeremy puisse entendre.

La porte d'entrée s'ouvrit. Jack Raines pénétra dans le café. Il s'immobilisa tandis que les flashs se mettaient à crépiter. Il parcourut du regard l'établissement.

— Jeremy, appela-t-il en se dirigeant vers son neveu. Viens. On s'en va.

Le shérif le devança. Il prit place aux côtés de Jeremy et posa une main sur l'épaule de ce dernier.

— Pas si vite.

— Allez-vous engager des poursuites à son encontre ?

O'Sullivan resta silencieux.

— Tu es ici depuis combien de temps, Jer ? demanda Jack.

Jeremy secoua la tête : il ne le savait pas. Il avait l'impression d'être ici depuis des heures. Peut-être même des jours. Il n'en était pas sûr.

— Vous avez interrogé un mineur ?

— Nous ne faisions que discuter, répondit O'Sullivan avec empressement.

— Est-ce qu'il est accusé de quelque chose ?

— Nous n'avons pas la preuve qu'un crime a été commis. Du moins pas encore.

O'Sullivan posa une fois de plus la main sur la crosse de son arme et bomba le torse.

— Vous voulez le ramener à la maison ? Faites donc. Je suis sûr que j'aurai d'autres questions à lui poser.

Jack fit signe à Jeremy.

— Allons-y.

Jeremy se leva et passa prudemment devant le shérif. Il guettait intérieurement la réaction d'O'Sullivan et s'attendait à ce qu'une main lui agrippe l'épaule pour le retenir. Rien ne se produisit. Lorsqu'il eut rejoint son oncle, il poussa un soupir qui s'échappa de ses lèvres tel le sifflement d'une crevaison lente sur le pneu d'une bicyclette.

CHAPITRE VINGT-SEPT

FORT KEEPS, ÉTAT DE NEW YORK
— ADIRONDACKS — OCTOBRE 1912

LA COUCHETTE SANS PIEDS PRÉSENTE À l'intérieur de la cellule était fixée au mur et suspendue à une dizaine de centimètres au-dessus du sol. Il était allongé sur le dos, mais le matelas de très faible épaisseur n'offrait aucun confort. Caleb ne dormait pas de toute façon. Depuis que son frère et lui étaient confinés à l'intérieur de la geôle, l'obscurité le dérangeait comme jamais. La lueur d'une bougie filtrait par la petite vitre de la porte qui menait au bureau du shérif. La présence d'une ou deux fenêtres aurait été appréciable. Si les représentants de la loi redoutaient que les prisonniers s'échappent, alors on devrait installer des barreaux. Ils n'avaient aucune raison de se retrouver privés du soleil et du clair de lune. Jusqu'à présent, on ne les avait reconnus coupables d'aucun crime. À croire que la présomption d'innocence ne s'appliquait pas dans les régions montagneuses.

Caleb se couvrit les yeux de son avant-bras. Il savait que Jacob ne le voyait pas, mais il voulait malgré tout lui cacher ses larmes. Il ne pensait qu'à retourner à la maison et travailler la terre avec son père. Il en rêvait aussi quand il dormait. Il ne pouvait envisager d'être enfermé dans une cage pour le reste de ses jours. Ni même pour le reste du mois ou de la nuit.

En se tournant sur le côté, Caleb discerna un mouvement près de la porte. Quelque chose se tenait devant le petit carré de verre et obstruait le peu de lumière qui filtrait.

Il n'arrivait pas à distinguer de quel côté de la porte provenait le mouvement. Il avait bien envie de demander à voix haute qui se trouvait là, mais préféra garder le silence. Jacob, lui, dormait sans problème. S'il le réveillait pour rien, son frère lui en voudrait éternellement. Être emprisonné dans une cellule à part n'était pas à proprement parler une bonne chose. Néanmoins, les craintes de Caleb de se prendre une rouste pour avoir fait ce qu'il appelait des *bêtises* se trouvaient apaisées.

C'était sans doute le seul et unique avantage à leur situation. Si être enfermé derrière des barreaux présentait d'autres atouts, il n'en voyait aucun. Ce n'était pas faute d'essayer d'en trouver. Jour après jour, il se creusait les méninges à la recherche d'une lueur d'espoir à laquelle s'accrocher.

Les choses s'étaient encore aggravées dernièrement avec la visite de leur père.

Caleb se cramponnait si fort aux barreaux que ses jointures en étaient devenues blanches. Il maintenait sa tête appuyée contre le fer froid de la grille jusqu'à en avoir mal aux oreilles. Si elle était légèrement plus petite, il pourrait sûrement la passer à travers l'orifice étroit.

— Où est maman ? Est-ce qu'elle est venue avec toi, papa ? Est-ce qu'elle attend pour nous voir, elle aussi ?

— Calme-toi, avait aboyé Jacob.

Il était avachi et courbé en avant dans sa cellule. Ses bras se balançaient nonchalamment de biais entre les barreaux.

— Comporte-toi en homme, tu veux ?

Leur père tenait à deux mains son chapeau dont il faisait sans cesse tourner lentement le bord.

— Je ne pouvais pas lui faire ça, Caleb. Je ne voulais pas lui briser davantage le cœur. Si elle vous voyait enfermés tous les deux ici comme des chiens, ça la tuerait.

— Arrête de pleurer.

Jacob ne pouvait se contenir. Il agrippait les barreaux et se contorsionnait comme s'il pensait pouvoir desceller de force la grille en fer prise dans le sol et le plafond.

— Il est comme un bébé, papa. Toujours en train de pleurer. La moitié de la nuit, je suis obligé de l'écouter renifler et sangloter. Je ne sais pas combien de temps encore je vais pouvoir supporter ça.

Leur père leur avait adressé un signe de la main.

— Bon, calmons-nous, tous les trois. Ce n'est facile pour personne. Je suis juste venu voir comment vous alliez.

— Est-ce que tu vas pouvoir nous faire sortir d'ici ? avait demandé Caleb.

Il s'était passé un bras sous le nez, utilisant sa manche de chemise souillée en guise de mouchoir.

— On va bientôt pouvoir rentrer à la maison ?

— Je fais ce que je peux. Je suis allé dans le comté de Herkimer pour rencontrer l'avocat. Ce genre de choses coûte de l'argent. D'autant plus que vous êtes deux à défendre...

— Mais tu vas payer le monsieur, hein, papa ?

Caleb était reconnaissant à son frère d'avoir posé la question. Il avait bien songé à demander la même chose, mais s'était ravisé en pensant que Jacob risquait de hurler à nouveau après lui. De plus, il savait que ce n'était pas nécessaire. Ses parents n'allaient pas laisser leurs garçons pourrir dans le centre pénitentiaire de Clinton. Les rumeurs qui circulaient au sujet de ce lieu se propageaient plus vite que la tuberculose.

Un raclement le ramena à la réalité.

S'était-il endormi ?

Il s'assit, mais constata qu'il était toujours dans son lit. Il n'osait balancer les jambes sur le côté de la couchette. L'obscurité lui semblait bien trop mouvante. Où était Jacob ?

Avait-il entendu le raclement ? Avait-il vu l'ombre passer devant la porte ?

Quelqu'un *se déplaçait* dans l'obscurité. Quelque chose le fixait.

— Jacob ? Jacob, est-ce que c'est toi ?

Caleb espérait que ce soit lui. Il avait observé son frère arpenter sa cellule pendant des jours. D'habitude, Jacob marmonnait en marchant, comptait des points ou bien frappait dans la paume de sa main avec son poing. Peut-être qu'il n'arrivait pas à dormir et faisait les cent pas pendant la nuit ?

C'était très probable.

Alors pourquoi ne m'a-t-il pas répondu ? se demanda Caleb.

Il s'apprêtait à appeler son frère pour la seconde fois, mais se ravisa et se tut en entendant un bruit de clés. Il tremblait de tout son corps. L'entité qui se déplaçait dans l'obscurité s'était arrêtée devant la porte de sa cellule.

Il aperçut le contour subtil d'une ombre. *Quelqu'un* se tenait à l'endroit où l'obscurité était plus prononcée.

On introduisit une clé dans la serrure.

Caleb se mit à claquer des dents. Un frisson parcourut son corps.

Les charnières grincèrent tandis que la porte de la cellule s'ouvrait vers l'extérieur.

La *chose* était dans la geôle avec lui.

Il percevait sa respiration difficile et bruyante.

Était-ce lui qui suffoquait ?

C'en était trop. Il ouvrit la bouche pour crier.

Une douleur fulgurante lui transperça la commissure des lèvres. Il porta la main sur les lacérations. Du sang chaud ruisselait de son visage et entre ses doigts. Il en coulait également le long de ses bras. Il leva son autre main en l'air pour se défendre. Il ne distinguait pas l'assaillant. Il agita le bras, mais ne sentit rien. Autour de lui, les ténèbres enflaient.

Le liquide écarlate s'accumula dans son arrière-gorge et se répandit de chaque côté de sa bouche. Du sang épais et chaud lui mouillait le cou et inondait sa poitrine.

Il était incapable de crier. Incapable d'appeler à l'aide. Incapable d'émettre le moindre son.

On lui enfonçait quelque chose dans le ventre.

Le choc soudain provoqué par la douleur lancinante le fit tomber sur le dos.

Les ténèbres se dressaient devant lui.

Il distingua l'ombre d'un visage sous une capuche.

Un fantôme ?

Un monstre ?

Il s'agissait sans doute d'un démon échappé des

portes de l'enfer et venu spécialement pour lui. Il n'avait pas besoin de lui demander ce qu'il voulait.

Il leva les bras par réflexe tandis que le démon lui perforait la poitrine. Il tourna la tête de gauche à droite pendant que sa chair se déchirait. Une torpeur brûlante lui envahit le torse.

L'énergie s'échappait de son corps.

Caleb essaya d'avertir son frère, mais s'étouffa alors que du sang jaillissait de sa bouche plutôt que des sons ou des paroles. Il s'étrangla, incapable de tousser pour dégager ses bronches.

Il avait l'impression d'avoir la peau en feu. Même si aucune flamme ne dansait sur sa chair, il savait que son corps brûlait.

———

— Shérif ! Shérif O'Sullivan ! Que quelqu'un vienne ! N'importe qui ! hurla Jacob.

Il ne cessait de crier.

La porte située à l'avant de la geôle s'ouvrit. Benji O'Sullivan accourut précipitamment, prêt à faire feu.

— J'ai failli avoir une crise cardiaque, gronda le shérif en rengainant son revolver dans le holster qu'il portait à la ceinture. C'est l'aube, Jacob. Ce n'est que l'aube. Qu'est-ce qui te prend de brailler déjà comme ça ?

Pour la première fois, Jacob fut incapable de

parler. Au lieu de cela, il pointa du doigt dans une direction.

Il observa le shérif qui regardait la cellule de Caleb.

Cette dernière était couverte de sang. « Déchiqueté » était la seule manière pour Jacob de décrire le cadavre de son frère. Quelque chose avait déchiqueté son frère aîné.

— Dieu du Ciel, murmura le shérif.

CHAPITRE VINGT-HUIT

JEREMY FIT À L'ONCLE JACK UN COMPTE-RENDU de l'ensemble des évènements. Ce dernier semblait contrarié et ils restèrent un moment assis en silence à la table de la cuisine. Au-dessus de leurs têtes, l'ampoule de l'applique bourdonnait.

— Donc tu n'as plus eu de ses nouvelles depuis ce texto ? demanda Jack.

— Non. Rien depuis.

— Tu as ton téléphone ? poursuivit Jack.

L'espace d'une seconde, Jeremy crut que le shérif était en possession de son portable. Il frappa sur sa poche avec une main : il était là. Il le sortit.

— Voilà.

Jack s'en empara et fit défiler un petit nombre de messages.

— Et tu n'as rien fait entre l'heure où je suis parti au travail et le moment où tu es arrivé au restaurant ?

— Je suis resté sous la pluie.

Jack leva les yeux et fixa l'ampoule comme si un fantôme fredonnait.

— Je comprends.

Jeremy se dirigea vers le réfrigérateur. Il se servit un soda et en versa un autre dans le verre de son oncle avant de se rasseoir.

— Qu'est-ce que je dois faire maintenant ?

Adossé à sa chaise, Jack pinça les lèvres.

— Tu n'as rien à faire. Rien. Si le shérif avait des informations concluantes à ton encontre, tu ne serais pas ici. Tu serais derrière les barreaux.

Jeremy frissonna. L'idée de se retrouver en cellule lui était insupportable. Il ne pouvait envisager d'être mis sous les verrous. Il avait longtemps considéré St Mary's comme une prison. Il s'aperçut soudain qu'il s'était trompé dans son analyse.

— Je ne veux pas aller en prison.

— Mais non. Ça n'arrivera pas.

Jack but le soda et se lécha les babines tout en poussant un *ahh* de satisfaction.

— On ira faire un tour à Old Forge demain matin. J'ai un ami avocat. Il s'occupe de trucs chiants comme des testaments ou des contrats.

Jeremy tambourina des doigts sur la table.

— Écoute, reprit Jack, monte te coucher. Repose-toi. On y verra plus clair demain matin. On va s'en tirer d'une manière ou d'une autre.

Les paroles de son oncle étaient rassurantes, mais Jeremy ne savait pas très bien quelle importance leur accorder.

— Je crois que je vais essayer de dormir.

— Bonne idée.

Il était hors de question qu'il dorme, mais son oncle n'avait pas besoin de le savoir. Il était devenu un fardeau. Ils avaient beau vivre dans sa maison, il semblait de plus en plus évident qu'il n'était plus le bienvenu.

Les choses seraient réglées demain matin. Aucun doute là-dessus. Même s'ils allaient consulter un avocat en ville, Jeremy voulait aussi aborder la question de son retour à l'hôpital. Il ne connaissait que cela. Le monde avait beaucoup trop évolué sans lui. Il n'y avait plus sa place. Dire qu'il rencontrait des difficultés était un euphémisme. Il avait l'impression de se noyer. St Mary's représentait une bouée de sauvetage invisible. Ignorer la sécurité et le refuge que lui offrait l'établissement serait stupide de sa part.

Jeremy se leva, repoussa sa chaise et se dirigea vers les escaliers. Le bois craqua sous son poids tandis qu'il montait les marches. À l'étage, l'obscurité était inquiétante, mais en ce moment précis, ses pensées convergeaient vers Greta.

Où était-elle ?

Allait-elle bien ?

Que lui était-il arrivé ?

Ces trois questions, formulées de différentes manières, tournoyaient dans son esprit en un tourbillon si puissant qu'il rivalisait avec une tornade de catégorie F5 comme on en voyait dans le Midwest.

Ces pensées le hantaient lorsqu'il aperçut les ombres s'agiter.

L'obscurité ondulait.

Il hésita et s'immobilisa sur l'avant-dernière marche, le regard fixe. Il plissa les yeux et s'efforça de percer l'abîme qui se trouvait en face de lui. La lumière falote qui provenait de la cuisine éclairait le bas des escaliers, sans toutefois dépasser la troisième marche.

Il était seul.

À défaut de se trouver devant lui, l'oncle Jack était peut-être derrière ou bien à proximité. Qu'importe. Il était seul.

Seul.

Il était hors de question qu'il regagne le rez-de-chaussée. Cela ne pouvait pas être réel. Ce qui était ou non devant lui ne pouvait pas être là.

Greta, cependant, avait été témoin de ces évènements.

À moins que ce ne soit pas le cas ?

C'était le fruit de son imagination.

St Mary's était le seul endroit convenable pour lui. Sa place était là-bas.

Jeremy monta les dernières marches et traversa le couloir.

Il entendit quelque chose gratter le parquet comme si on s'enfuyait précipitamment pour se tapir dans un coin.

Jeremy ouvrit la porte de sa chambre. De l'autre côté de la fenêtre, le clair de lune éclairait la pièce. Il appuya malgré tout sur l'interrupteur et referma la porte. Son étui à guitare était posé sur le lit.

Il n'avait plus joué de guitare depuis son retour à la maison.

Ce n'était pas lui qui l'avait déplacée.

Tout en regardant aux alentours, il se dirigea vers l'instrument et se pencha au-dessus de son lit. Il souleva les fermoirs et ouvrit l'étui rigide. Les six cordes étaient cassées et enroulées autour de la tête, à l'extrémité du manche.

Jeremy referma brusquement le couvercle et le verrouilla. Il glissa l'étui sous le lit et se laissa tomber en arrière sur le matelas. La tête sur l'oreiller et les bras en croix, il fixa le plafond.

Quelque chose de froid toucha sa main.

Il rentra ses bras. Son bras droit pendait au bord du lit.

Il remonta ses jambes.

Assis sur ses genoux, Jeremy haletait et parcourut la pièce du regard. Bien sûr, il ne vit rien. Ce qui l'avait touché se cachait sous le lit. Il avait l'impression que la porte se trouvait à des kilomètres.

Il ferma les yeux et secoua la tête. Ce n'était pas réel. Il n'y avait pas de fantôme.

Tu peux la sauver.

La voix n'était guère plus qu'un murmure. Il l'entendit à peine.

Il se pencha en avant et regarda sur le côté. Son étui à guitare était là. Il n'aurait pas dû y être. Il venait de le glisser sous le lit. *Dessous.*

Non.

Tout se jouait dans son esprit, dans son imagination. Il pourrait le prouver. Il n'y avait rien sous le lit. Personne.

Jeremy agrippa le matelas et baissa la tête sur le côté. Il souleva le couvre-lit drapé et sa bouche devint sèche. Il avait l'impression d'avoir la langue épaisse et gonflée.

Au moment où il regardait sous le lit, les lumières de la chambre s'éteignirent.

Il aperçut cependant quelque chose dessous.

Quelque chose se déplaçait.

Quelque chose essayait de l'attraper.

Il fit un bond en arrière.

Tu peux la sauver.

Cette voix. Elle était à peine audible, car elle ne provenait pas de l'intérieur de la chambre, mais de dehors, par la fenêtre.

La lumière revint dans la chambre et chassa les ombres. Sans perdre une seconde, Jeremy bondit de son lit et se retrouva sans raison à côté de l'interrupteur.

Il se laissa tomber sur le sol, paumes à plat, et baissa le plus possible la tête. La joue à moins de deux centimètres du parquet, il jeta un coup d'œil sous le lit.

Tel qu'il l'avait prévu...

Il n'y avait rien.

Il n'y avait personne sous le lit.

Quant à son étui à guitare...

Il se redressa lentement.

L'étui à guitare était sur le lit, le couvercle ouvert.

Tu peux la sauver.

À genoux, il fixa la fenêtre. La voix qu'il avait entendue provenait clairement de l'extérieur. Il se mit debout et se dirigea vers la vitre. Arrivé près du rebord, il écarta les fins rideaux et regarda dehors.

Il n'aperçut tout d'abord que son propre reflet à contre-jour. Il mit ses mains en coupe sur son visage et les appuya contre le verre.

Elle était là. À proximité des arbres.

— Greta, murmura-t-il. Ne bouge pas !

Elle n'était pas en mesure de l'entendre.

Il se rua vers la porte, traversa en courant le couloir, dévala les escaliers et sortit précipitamment par la porte d'entrée. Jeremy n'avait pas remarqué si l'oncle Jack était toujours dans la cuisine, assis à la table.

Il commença par sentir le froid. Il neigeait. La neige ne tenait pas au sol, du moins, pas encore. De gros flocons voltigeaient plus qu'ils ne tombaient. Jeremy passa au travers en courant et gagna le côté de la maison.

— Greta !

Lorsqu'il atteignit l'arrière-cour, il scruta la limite des arbres.

Tout semblait plus lumineux depuis la fenêtre de sa chambre. L'éclairage de la pièce faisait toute la différence. Il leva les yeux et aperçut des nuages onduler sur la lune. L'éclat projeté par cette dernière avait presque disparu.

— Greta ?

Il l'avait vue.

Il n'y avait personne sous son lit, mais quelqu'un se tenait entre les arbres.

Ce ne pouvait être que Greta.

Il se précipita, dérapant sur l'herbe glissante. Sa main toucha le sol et l'empêcha de perdre l'équilibre. Arrivé à la hauteur des arbres près desquels il l'avait aperçue, il s'immobilisa et se retourna. Si la neige était tombée davantage, il constaterait des traces laissées par ses empreintes de pas.

Il ne remarqua rien.

Elle était partie.

Il se rendit compte qu'il pleurait.

— Je perds la tête.

Ignorant ses yeux remplis de larmes, il appuya ses poings contre son front.

— Je perds la tête !

Tu peux la sauver.

La voix venait de derrière lui. Jeremy se retourna. Elle se trouvait au bord du ruisseau. De l'autre côté.

— Greta ! Reste là. Ne bouge pas. J'arrive. Reste là !

Il entreprit de descendre la pente en prenant soin de regarder où il mettait les pieds. Les bras écartés, il faisait rebondir ses mains sur les arbres afin de garder l'équilibre. Il passa sous les branches et pencha la tête sur le côté pour se protéger les yeux.

Parvenu au lit du ruisseau, il l'aperçut qui se tenait sur l'autre rive et lui tournait le dos. Sans mot dire, elle partit en courant à travers les arbres.

Jeremy traversa le ruisseau en pataugeant. Il avait les bottes remplies d'eau glacée. Ses chaussettes trempées lui collaient aux pieds. Il sentit ses orteils s'engourdir instantanément.

— Greta !

CHAPITRE VINGT-NEUF

FORT KEEPS, ÉTAT DE NEW YORK
— ADIRONDACKS — OCTOBRE 1912

IL N'ÉTAIT PAS ENCORE DIX HEURES DU MATIN, ET déjà, le shérif Benji O'Sullivan peinait à affronter la réalité qui s'imposait à lui. Comment quelqu'un avait-il pu se glisser dans la geôle pendant la nuit et assassiner l'aîné des fils Gregory ? Le but de l'attaque n'était pas seulement de tuer. La violence recelait autre chose. Caleb Gregory, dix-sept ans, avait été cruellement déchiqueté à un moment donné de la nuit et pour l'instant, O'Sullivan n'avait pas la moindre idée quant à l'identité du coupable.

— J'aimerais que ce garçon me soit amené dès que possible.

Les bras croisés et les yeux fermés, le docteur John Marr se tenait à l'intérieur de la cellule et se massait l'arête du nez.

— Je vais faire en sorte qu'on vous l'amène

immédiatement, toubib. Est-ce que vous pouvez me donner des informations complémentaires sur ce qui est arrivé ?

Benji O'Sullivan se trouvait juste à l'extérieur de la geôle, appuyé de tout son poids contre la porte à barreaux. Il avait besoin de boire un verre. Il n'avait jamais eu autant envie d'un whisky de toute sa carrière.

— Caleb Gregory a été assassiné. À première vue, ses blessures semblent correspondre à l'emploi d'un grand couteau. Je vais devoir le déshabiller et nettoyer un peu le sang pour être en mesure de vous donner davantage de précisions, expliqua Marr en secouant la tête. Et son frère ?

— Il jure n'avoir rien entendu. Je n'étais pas là hier soir. C'est l'adjoint Haddocks qui assurait le quart de nuit. Il affirme être resté en permanence éveillé au bureau...

O'Sullivan pencha la tête dans un sens puis dans l'autre.

— Je n'en veux pas à mes gars s'ils s'endorment. Quand tout est calme, autant pioncer.

— Haddocks est un type bien. Il ne possède que deux chemises d'uniforme.

Marr agita la main comme si ce détail infime était purement extraordinaire.

— Il me l'a raconté une fois quand je lui ai dit que je devrais me remarier un jour, ne fût-ce que pour le privilège d'avoir quelqu'un à mes côtés qui me fasse la lessive. Bref, ce que je veux dire, c'est que si Haddocks était coupable, il pourrait très difficilement dissimuler le sang sur ses habits. À moins qu'il ne se soit mis en sous-vêtements avant l'attaque. Au fait, où est votre adjoint ?

— Je lui ai confisqué son arme et son insigne, puis je l'ai renvoyé chez lui.

O'Sullivan vit Marr froncer les sourcils.

— Il est mon seul suspect à l'heure actuelle. Prétendre être resté éveillé toute la nuit ne le disculpe en rien. Comment quelqu'un a-t-il pu entrer ici et faire une chose pareille ? Mais je vais me rendre chez lui pour inspecter ses chemises. Si je ne constate rien d'anormal, alors je lui demanderai de revenir travailler. Ce n'est vraiment pas le moment pour nous d'être en sous-effectif.

— Et Jacob était dans sa cellule ? Où est-ce qu'il est, à présent ?

— Il est avec un de mes adjoints. Je l'ai enfermé dans une cave pour l'instant. Mon adjoint a reçu l'ordre de s'asseoir sur une chaise calée contre la porte jusqu'à ce que je vienne le chercher.

Le shérif poussa un soupir de découragement.

— Les deux cellules étaient verrouillées. Les clés étaient suspendues au crochet dans l'entrée. Je ne vois pas comment Jacob pourrait être impliqué. De vous à moi, j'aimerais bien lui coller aussi ce meurtre sur le dos. Le problème, c'est qu'en arrivant ce matin, j'ai trouvé mon adjoint assis en train de fumer, les pieds sur le bureau, dans la pièce qui donne sur le vestibule. Je suis entré et j'ai entendu Jacob crier alors que je venais à peine de m'installer. Je vous assure, ce gosse était pâle comme un linge et absolument terrifié. Il transpirait plus ce matin que lors de son interrogatoire au sujet du meurtre d'Alice.

— Je suppose que le voir montrer des signes de peur n'est pas une mauvaise chose. On dirait qu'il a des remords, fit remarquer Marr en haussant un sourcil.

Ils imputaient le meurtre d'Alice Crosby à Jacob. Ni l'un ni l'autre ne considéraient Caleb comme également responsable. Il était peut-être présent, mais ils le soupçonnaient davantage d'être témoin plutôt qu'auteur des faits. Tous deux auraient pris entre vingt-cinq ans et perpétuité, mais peut-être Jacob était-il seul à mériter une telle sentence.

Désormais, malheureusement, Jacob purgerait sa peine et obtiendrait sa libération quand il aurait la quarantaine tandis que Caleb serait tout bonnement inhumé à six pieds sous terre.

Le shérif se redressa et pénétra dans la cellule.

— Je vais le transférer. Je vais l'envoyer dans le comté de Herkimer pour sa sécurité.

Les habitants de Fort Keeps supportaient mal l'idée qu'une jeune fille ait été assassinée. À plusieurs reprises, il avait entendu des rumeurs selon lesquelles des gens appelaient à la mort par pendaison des garçons Gregory. Ce n'était pas le Far West ici. Ce n'était pas non plus l'Est sauvage. Il ferait savoir à tout le monde que personne ne serait pendu.

Quelqu'un avait dû s'offusquer de la situation et prendre les choses en main plutôt que de laisser un juge qualifié et un jury composé de pairs décider du sort des Gregory.

— Je dois déjà annoncer aux parents que je n'ai pas réussi à assurer la sécurité de leur fils aîné. Transférer Jacob est la meilleure chose que je puisse faire actuellement.

CHAPITRE TRENTE

JEREMY RESPIRAIT DIFFICILEMENT ET BRUYAMMENT. Son souffle s'élevait en volutes juste devant son visage. Depuis la fenêtre de sa chambre, il avait aperçu Greta près des arbres dans l'arrière-cour. Il était aussitôt sorti à sa recherche. Elle l'avait poussé à s'aventurer davantage dans les bois.

Aucun des évènements survenus pendant la nuit n'avait de sens.

Aucun.

Il ne comprenait pas pourquoi Greta se déplaçait en permanence sans lui laisser la possibilité de la rattraper.

Il frissonnait. Il croisa les bras sur sa poitrine et se frictionna pour essayer de se réchauffer. Curieusement, il avait perdu la trace de Greta.

Il s'immobilisa un court instant et s'adossa contre un arbre.

Il crut entendre un hibou hululer au-dessus de lui.

Ses dents claquaient alors qu'il regardait à gauche puis à droite. Il ignorait depuis combien de temps il la poursuivait. Pire, il n'était pas sûr de savoir où il se trouvait. Il n'était pas « perdu » à proprement parler. Il serait en mesure de trouver le chemin du retour si cela s'avérait nécessaire. Du moins, peut-être.

Plus loin, il entendit une branche se briser comme si on venait de la piétiner. On aurait dit que quelqu'un marchait sur des brindilles.

Il ne distinguait personne. L'épaisse obscurité enveloppait tout.

Tu peux la sauver.

Il entendait la voix à la fois derrière et devant lui. Il s'écarta de l'arbre. Il avait l'impression d'être devenu aveugle. Il s'avança de quelques pas et s'immobilisa, les bras écartés, brassant l'air avec ses mains.

— Qui est là ?

Ce n'était pas Greta.

Ce n'était jamais Greta.

— Où est-ce qu'elle est ? Où est Greta ?

Il entendit du bruit derrière lui et s'empressa de se retourner.

L'obscurité. La nuit.Des ombres.

Il ignorait où il se trouvait. Il était perdu et fit volte-face.

Tu dois la sauver.

« *La* »

— Je cherche Greta. Où est-ce qu'elle est ?

L'apparition était là. Lointaine. Indistincte. La vision scintilla. Elle se trouvait à une bonne vingtaine de mètres au moins. Rougeoyait-elle ? Comment pouvait-il la voir à travers l'obscurité ?

Elle était au-dessus de lui. Elle ne flottait pas. Elle était sur la pente.

À peine avait-il fait un pas dans sa direction qu'elle se retourna et commença à marcher avant d'entreprendre de gravir le talus.

Le fantôme de sa maison le conduirait-il à Greta ?

———

Fort Keeps, État de New York — Adirondacks — Octobre 1912

Le shérif Benji O'Sullivan ne pouvait s'en prendre qu'à lui-même. Il avait relâché sa vigilance et n'avait pas vu venir l'embuscade.

O'Sullivan avait prévu de transférer Jacob dans le comté de Herkimer au crépuscule. Il était impossible de dire si l'individu qui avait découpé en morceaux son frère aîné, Caleb, projetait de le tuer lui aussi. Et même si la chance de voir un tel incident se reproduire dans les geôles n'était que d'une sur dix millions, mieux valait prévenir que guérir. Parfois, plus les évènements paraissaient improbables, plus ils risquaient de survenir. Cela ne tenait pas debout, mais combien de choses avaient réellement de sens dans la vie ?

Après avoir discuté avec l'adjoint Haddocks et constaté l'absence totale de sang sur ses deux chemises d'uniforme qui, de toute évidence, n'avaient pas été lavées depuis une ou deux semaines, le docteur Marr avait procédé à l'autopsie de Caleb. Récemment, les cadavres l'avaient occupé davantage que les patients qu'il recevait pour des bilans de santé. Il partait du principe que lorsque le rythme et la nature même du travail quotidien changeaient, ils contribuaient à lui donner un second souffle. Il en faisait actuellement l'expérience. O'Sullivan préférait ne jamais voir quelqu'un disparaître, mais ces deux meurtres ajoutaient indéniablement à sa vie un zeste de ce quelque chose qui lui manquait. Il avait honte de l'admettre, mais enquêter sur une mort étrange était plutôt stimulant.

Le shérif ne supportait pas l'idée d'enfermer à nouveau Jacob dans sa cellule au bureau. Il voyait cela comme une sentence cruelle et inhumaine, même si les murs et le sol de la geôle de Caleb avaient fait l'objet d'un scrupuleux nettoyage. Il ne restait plus aucune trace de sang et les lambeaux de peau avaient disparu. À vrai dire, s'il disposait d'un endroit où détenir l'adolescent, il l'y mettrait. Il ne pouvait garder ce dernier emprisonné dans une cave trop longtemps.

Une fois qu'O'Sullivan saurait Jacob en sécurité dans une cellule avec la police de Webb à Old Forge, il pourrait retourner chez le docteur Marr afin d'obtenir de plus amples explications concernant la cause du décès. Il était parfaitement au courant que le garçon était mort des suites d'une agression à l'arme blanche, mais combien de coups de couteau avait-il reçus ? O'Sullivan brûlait d'envie de savoir si le docteur Marr avait une idée du genre de fou furieux susceptible d'être en liberté dans les montagnes.

Ils s'étaient trouvés débordés pendant le reste de la journée et la majeure partie de la soirée. Il avait chargé un adjoint de surveiller la cave verrouillée, ce qui entravait considérablement sa capacité à déléguer le travail. On avait reconduit Jacob à sa geôle il y avait environ une heure. Tant pis si cela ne lui plaisait pas ou s'il trouvait cela cruel et inhumain. Les mains menottées derrière le dos, le gamin semblait abattu. La tête baissée, il avait traversé le bureau en traînant des pieds et était entré dans la cellule comme s'il avait les jambes enchaînées elles aussi.

Le shérif O'Sullivan retira les clés de l'anneau qui se trouvait devant la porte de la geôle : selon lui, le moment était propice pour sortir.

— Il est l'heure d'y aller, annonça-t-il.

Jacob n'avait pas l'air de se porter mieux. Il était assis en tailleur sur sa couchette, les bras et les mains profondément enfouis entre ses jambes croisées, et tournait le dos à la cellule à l'intérieur de laquelle Caleb s'était trouvé enfermé. O'Sullivan ressentit une pointe de culpabilité. Peut-être aurait-il été plus judicieux de le laisser dans la cave plutôt que de l'amener ici ? Il était trop tard désormais.

Il déverrouilla la cellule.

— Prêt, fiston ?

Jacob tourna brusquement la tête.

— Je ne suis pas votre fiston !

La peau qui entourait ses yeux était rouge, irritée et gonflée. Il avait le dessous du nez à vif.

O'Sullivan ignora son accès de colère. L'heure n'était pas à la plaisanterie. Jacob avait assassiné une jeune fille. Ce garçon ne méritait pas sa sympathie. Néanmoins, malgré l'horreur de l'acte qu'il avait commis, il se sentait triste en pensant à l'impact de la mort de Caleb sur Jacob. Il partait du principe que c'était une question de compassion et d'empathie. Quand tout cela serait terminé, il se laisserait aller à la réflexion.

Après avoir aidé Jacob à descendre de la couchette, il le conduisit hors de la geôle. Ils traversèrent le bureau et gagnèrent l'extérieur où son cheval était attelé à une charrette découverte. Des flammes dansaient depuis une torche allumée et fixée à un accoudoir à l'avant de cette dernière.

Ils montèrent tous les deux à l'arrière. Jacob s'assit sur un tas de paille. Après avoir glissé la chaîne autour d'une barre de fer qui occupait toute la longueur de la charrette, O'Sullivan ôta une des menottes et l'attacha à nouveau au poignet de Jacob.

— Tu as une couverture juste ici au cas où tu aurais froid.

La nuit était plutôt douce pour une fin octobre. La majeure partie du ciel nocturne était couverte de nuages qui dissimulaient presque entièrement la lune et les étoiles.

Le shérif grimpa à l'arrière de la charrette, prit place sur le siège, posa les pieds sur le repose-pied et souleva les rênes qui se trouvaient sur le frein. Il fit claquer sa langue et donna le signal du départ.

Un sentiment de tranquillité s'empara du shérif tandis qu'il s'installait et profitait un tant soit peu de la promenade. Le claquement régulier des sabots du cheval qui accompagnait chaque tour de roue était apaisant. En dépit de la multitude de choses qu'il avait à faire, O'Sullivan essayait de lâcher prise. Cet instant serait éphémère et il aurait tort de ne pas profiter du calme.

Au-dessus de sa tête, des branches d'arbres se brisèrent et un bruissement se fit entendre. Une pluie de feuilles secouées s'abattit. Un objet imposant tomba de l'arbre pour venir s'écraser à l'arrière de la charrette. Jacob poussa un cri. Effrayé, le cheval partit au galop. O'Sullivan tira sur les rênes et appuya sur le frein de son pied gauche.

Les roues se trouvèrent bloquées et la charrette fit une embardée. Les cris de Jacob étaient à glacer le sang. O'Sullivan peinait à maîtriser son cheval et se risqua à jeter un coup d'œil par-dessus son épaule.

L'animal s'immobilisa, secoua la tête et poussa un hennissement en signe de protestation. O'Sullivan s'empara de la torche qui se trouvait sur son support et bondit à l'arrière de la charrette.

Jacob était seul. Il y avait des projections de sang partout. Le garçon avait les yeux ouverts et fixait le néant.

Il entendit quelqu'un, voire quelque chose, courir.

Il tendit le bras. Juste devant son visage, les flammes de la torche éclairaient à peine la nuit et ne suffisaient pas à percer les ténèbres alentour.

Ce qui avait sauté à l'arrière de la charrette s'était enfui dans les bois.

O'Sullivan se lança à sa poursuite.

Il respirait difficilement et bruyamment tandis qu'il esquivait les branches et sautait par-dessus celles tombées à terre. Il se baissa et se protégea les yeux pour éviter de finir éborgné ou égratigné. Il s'arrêta. Immobile, il tendit l'oreille.

Les sons paraissaient étranges dans le noir.

Les bruits qu'il entendait provenaient de toutes les directions.

Ces derniers semblaient venir du nord, c'est-à-dire du côté qui le ramenait à Fort Keeps. Il poursuivit son chemin.

Au terme de vingt minutes passées sans rien trouver ni croiser personne, il déclara forfait. Il se courba vers l'avant et fut pris d'une quinte de toux. La flamme de la torche avait faibli.

Il se redressa et pivota sur ses talons.

Il n'entendit rien. Les bois étaient silencieux.

Les créatures qui vivaient au milieu des arbres ne faisaient pas de bruit. Toutes ensemble, elles donnaient l'impression d'attendre et de le guetter, à l'affût de ses faits et gestes.

Il était perdu.

Il courait après une ombre.

CHAPITRE TRENTE-ET-UN

Jeremy entendait ses parents se quereller. Depuis l'étage, il ne pouvait distinguer leurs paroles ou en comprendre le contexte. Son père hurlait. Quelque chose claqua. Un poing contre le mur ? Une paume sur la table ?

Il se tenait au bas de l'escalier et jeta un coup d'œil aux alentours ainsi que dans la cuisine. La joue appuyée contre ses jointures blanchies, il se cramponnait fermement de ses mains moites au pilier de la balustrade. Des larmes fraîches s'échappaient de ses yeux. Sa vue se brouillait lorsqu'il clignait des paupières.

Les mains croisées sur ses genoux, sa mère était assise sur une chaise à la table de la cuisine.

— Comment as-tu pu faire une chose pareille ?

Comment as-tu pu me faire ça, à moi ? À nous ? À Jeremy ?

Son père était dos à la porte, un bras levé et une main posée sur le placard. La tête baissée et l'air abattu, il prenait appui de tout son poids sur son bras.

— Je... je ne comprends vraiment pas.

— Ce n'est pas ce que tu crois...

La main de son père s'abattit violemment contre le placard.

— Pas ce que je crois ? Ce n'est pas ce que je crois ? Tu rigoles, j'espère ?

Il se mit ensuite à rire. Jeremy ne voyait pas ce qu'il y avait de drôle.

Sa mère se leva. Elle fit le tour de la table en prenant soin de maintenir une certaine distance entre elle et son père. Arrivée près de l'évier, elle ouvrit le robinet. Elle secoua ses doigts sous l'eau avant d'attraper un verre dans le placard et de le remplir.

Les mains tremblantes, elle en but une gorgée.

Son père s'avança brusquement d'un pas, repoussa une chaise qui lui barrait le passage et balaya d'un geste le verre qu'elle tenait. Il se brisa sur le linoléum en même temps que la chaise renversée heurtait le sol.

Jeremy fit un bond en arrière, le souffle coupé. Ses lèvres se mirent à trembler et il enfonça l'extrémité de ses doigts dans sa bouche. Il avait le nez qui coulait et il renifla. Il était cependant hors de question qu'il détourne le regard. Son instinct lui disait pourtant de monter en courant se réfugier dans sa chambre. Il fermerait la porte et se cacherait sous le lit, ou bien dans un placard.

Il ne s'éloigna pas. Au lieu de cela, il se pencha à nouveau en avant et prit place contre le pilier.

— Oh, vraiment ?

Les mains sur les hanches, son père secoua la tête.

— Laisse-moi tranquille.

La voix de sa mère trahissait une peur perceptible.

— Pose ça ! Chérie, pose ça tout de suite !

Jeremy écarquilla les yeux. Il ne voyait pas ce que sa mère avait entre les mains. Était-ce un verre ? Voulait-elle un autre verre d'eau ? Pourquoi son père ne la laissait-il pas boire quelque chose ?

À nouveau, il se disait qu'il ferait peut-être bien de se cacher. Quelques jours auparavant, alors que ses parents se querellaient, il avait rampé jusque sous son lit. Il entendait encore leurs cris. Il avait gardé les mains pressées contre ses oreilles, ce qui s'était avéré plutôt efficace dans la mesure où cela étouffait tous les bruits. Il était resté sous le lit en fermant hermétiquement les paupières. Il avait seulement daigné les rouvrir lorsque sa mère l'avait découvert ainsi. Elle l'avait amadoué pour qu'il sorte de sa cachette en lui parlant doucement et en le persuadant que tout irait pour le mieux.

Tout n'allait cependant pas très bien.

Se cacher ne lui avait été d'aucune utilité.

Voir ses parents se quereller était pire. Plutôt que de se précipiter à l'étage, il avait envie de courir dans la cuisine. S'ils le voyaient, ils arrêteraient de se disputer. Jeremy savait qu'il pouvait régler la situation. Il l'avait déjà fait. Lorsqu'ils s'étaient pris de bec la semaine dernière, ils s'étaient tus dès qu'il était entré dans la pièce. Son père était parti au volant de sa camionnette. Il s'était alors assis sur le canapé avec sa mère. Ils avaient trouvé quelque chose à regarder ensemble à la télévision. Elle avait préparé du chocolat chaud et mis du pop-corn au micro-ondes afin qu'ils puissent le partager.

Jeremy se souvenait d'être resté éveillé aussi tard que possible en attendant le retour de son père. Il avait dû finir par s'endormir et s'était réveillé le lendemain matin, bordé dans son lit. En descendant au rez-de-chaussée, il avait commencé par regarder à travers la fenêtre qui donnait sur le devant de la maison. La camionnette de son père était dans l'allée. Pour la première fois, il avait eu très peur et était certain que ses parents allaient divorcer. À l'école, la plupart des enfants étaient issus de foyers où les parents étaient divorcés. Il ne voulait pas que la même chose se produise dans sa famille.

La dispute dégageait quelque chose de différent cette fois. Ses jambes l'empêchaient de se déplacer. Jeremy n'était pas sûr de pouvoir se rendre dans la cuisine même s'il le voulait ou qu'ils lui demandaient de venir dans la pièce. Il tremblait de tout son corps.

Son père se jeta sur sa mère.

Jeremy ouvrit la bouche pour crier, mais aucun son ne s'échappa de son gosier.

Ses parents s'affrontaient au corps à corps, heurtant la table et le plan de travail.

— Lâche ça ! Lâche ça, je te dis !

Son père agrippait sa mère par les poignets et tentait tant bien que mal de lui faire lâcher prise.

L'objet qu'elle tenait dans sa main n'était pas un verre.

— Lâche-moi ! cria-t-elle en se débattant dans tous les sens. Tu me fais mal !

Ils se bousculèrent.

Quelque chose heurta bruyamment le sol.

Jeremy ne s'était pas rendu compte qu'il se dirigeait vers la cuisine. Il voulait que ses parents arrêtent de se disputer. Il avait envie de crier à son père de laisser sa mère tranquille. Avant qu'il n'ait eu le temps de dire un mot, la lutte avait pris fin.

Ses parents demeurèrent immobiles.

— Oh, mon Dieu, gémit son père.

Sa mère tendit la main au-dessus de l'évier, agrippant les fins rideaux blancs.

Elle les tacha de rouge. Les yeux écarquillés et la bouche ouverte, elle fixait sans ciller le père de Jeremy.

Aucun son ne s'échappait de ses lèvres.

Jeremy se figea sur place lorsque sa mère perdit l'équilibre. Ses genoux se dérobèrent. Son père la rattrapa et l'allongea sur le sol. Il passa une main sur son front et écarta ses cheveux de son visage.

— Oh non, se lamenta-t-il. Mon Dieu, non.

C'est alors que la porte de derrière s'ouvrit brusquement...

— Je ne l'ai pas fait exprès.

À genoux sur le sol, son père pleurait, penché sur le corps inerte de sa mère.

— Je te le jure. C'était un accident. Je ne l'ai pas fait exprès.

————

Jeremy suivait l'apparition sans jamais réussir à gagner du terrain. Elle avait toujours au moins une bonne dizaine de mètres d'avance sur lui. L'obscurité la dissimulait de temps en temps. Dès qu'il était sur le point de s'arrêter, de renoncer à la poursuivre, elle ressurgissait, l'appelait, l'entraînait encore plus profondément dans les bois.

— Où est-ce que vous m'emmenez ?

Le fantôme n'arrêtait pas de lui dire qu'il pouvait la sauver.

« *La* »

Il ne pouvait s'agir que de Greta.

Comment le fantôme pourrait-il être au courant de quelque chose en ce qui concernait son amie ?

Jeremy ignorait la réponse à cette question. Il redoutait que tous ces évènements soient survenus par sa faute. Greta ne se serait jamais retrouvée exposée au fantôme s'il ne l'avait pas invitée chez lui.

Non. Non. Cela n'avait aucun sens.

Il n'y avait pas de fantôme ; les fantômes n'existaient pas !

Alors, pourquoi suis-je occupé à en suivre un ? se demanda-t-il. *Pourquoi est-ce que je prends le risque de mourir de froid en emboîtant le pas à une femme à travers les bois ?*

Il faisait cela, car s'il existait ne serait-ce qu'une infime chance pour qu'un fantôme se tienne devant lui et si celui-ci connaissait l'endroit où se trouvait Greta, il devait au moins essayer.

De toute façon, il serait bientôt de retour à St Mary's.

Quand tout serait terminé, lorsqu'il aurait retrouvé Greta ou que le soleil se lèverait, les choses prendraient fin. Il déclarait forfait. Il se rendait.

Sa place n'était pas à Fort Keeps.

Le shérif avait raison.

Tu peux encore la sauver...

CHAPITRE TRENTE-DEUX

LE SHÉRIF BENJI O'SULLIVAN PENSAIT QU'IL était peut-être sous le choc. Il n'avait pas la moindre idée de ce qui venait de se passer. Quelqu'un – ou *quelque chose* – était tombé des arbres et avait atterri à l'arrière de sa charrette. On avait agressé Jacob Gregory, le prisonnier qu'il transportait.

Non. C'était plus que cela.

Jacob Gregory était mort. On l'avait assassiné.

En tant que représentant de la loi, il n'avait rien pu faire pour empêcher cela.

À présent, les deux frères Gregory étaient décédés. Tous deux avaient été tués alors qu'ils se trouvaient sous sa garde.

Ces meurtres insolites pointaient dans une seule direction, vers une personne en particulier. Même si cette hypothèse paraissait peu probable, voire invraisemblable au shérif O'Sullivan, il était conscient qu'il devait, au strict minimum, affronter Elissa Crosby.

Les garçons Gregory étaient soupçonnés d'avoir assassiné la fille d'Elissa.

Elle chercherait probablement à se venger.

Après avoir poursuivi la personne qui venait d'achever Jacob et perdu sa trace dans les bois, le shérif était retourné à la charrette. Il avait l'impression d'être en plein cauchemar. Quand se répandrait la rumeur selon laquelle deux de ses prisonniers avaient trouvé la mort alors même qu'ils étaient sous sa responsabilité, les habitants de Fort Keeps remettraient en question ses compétences en tant que shérif.

D'un coup sec, il arracha un morceau de toile et en recouvrit le cadavre. Le docteur Marr allait faire beaucoup d'heures supplémentaires. Il n'y aurait rien d'étonnant à ce qu'il fasse appel à un assistant. Se retrouver avec trois corps en si peu de temps donnait à O'Sullivan le sentiment qu'une sorte de malédiction planait sur la tête de tous les résidents de Fort Keeps comme un nuage d'orage.

Les faits étaient cependant là. Ils auraient raison de demander qu'il soit démis de ses fonctions. Il avait été incapable de protéger ces deux jeunes hommes. Il n'avait aucune idée de la manière dont il pourrait affronter M. et Mme Gregory et leur apprendre que leurs deux fils avaient désormais perdu la vie...

Il ne voulait pas y penser.

Il ne pouvait se le permettre. Pas alors que le tueur courait toujours.

Il l'attraperait !

Ce serait peut-être la dernière action qu'il accomplirait. Peut-être même que d'ici là, il ne serait plus shérif s'il venait à perdre son poste, mais il ne lâcherait pas l'affaire. Il s'arrêterait seulement lorsqu'il serait mort ou que le coupable aurait été capturé.

Il fit abstraction du bain de sang et des restes mutilés à l'arrière de la charrette.

Il monta sur le siège avant et souleva les rênes. Il obligea doucement le cheval à faire demi-tour et s'engagea sur le chemin qui le ramenait vers la ville.

———

Le shérif immobilisa son cheval devant la maison des Crosby. La température froide qui régnait était idéale pour le cadavre. Seule l'odeur des gaz émis par l'animal parvenait au nez d'O'Sullivan. À plusieurs reprises, il avait eu envie de vomir. Il avait beau côtoyer des chevaux depuis toujours, la puanteur qui se dégageait du derrière des animaux lui donnait la nausée et l'obligeait à respirer par la bouche et à se pincer les narines la plupart du temps. Ce soir, cependant, il appréciait ces miasmes fétides. Ils avaient au moins le mérite de masquer complètement les relents de sang, d'excréments et d'urine qui provenaient de la charrette derrière lui.

Combien de temps s'était-il écoulé depuis la nuit où il était venu ici pour informer Elissa qu'on avait découvert un corps dans les bois et qu'il s'agissait peut-être d'Alice ?

Il avait le sentiment que c'était hier.

Il avait aussi l'impression que c'était il y a des années.

Il descendit à bas de son siège. Même s'il faisait nuit, il distinguait les empreintes laissées par ses bottes qui craquaient sur la neige fraîche. Aucune autre trace n'était visible.

Peut-être son intuition l'induisait-elle en erreur.

Il espérait que c'était le cas. Elissa avait toutes les apparences d'une femme gentille. Affligée par la mort de sa fille, elle ne méritait pas d'être harcelée. Si quelqu'un assassinait l'un de ses enfants, il le tuerait. Point barre. Il ne pouvait toutefois se permettre de le reconnaître ouvertement. Il portait un insigne. Il n'était pas au-dessus des lois. Ce ne serait cependant pas une question de légalité, mais de justice. Sa justice. Si Elissa avait assassiné les fils Gregory, Caleb et Jacob, il serait obligé de l'arrêter.

Il respecterait son geste, mais il devrait quand même procéder à son interpellation.

Le shérif fit rapidement le tour de la propriété.

L'intérieur de la maison était plongé dans

l'obscurité. À sa connaissance, aucune lanterne n'était allumée.

Il ne constata pas non plus de traces de pas dans la neige.

L'endroit n'avait pas seulement l'air calme : il semblait désert. Inhabité.

Arrivé à la porte d'entrée, O'Sullivan frappa.

Celle-ci s'ouvrit dans un grincement de vieilles charnières. Le vent balaya la neige et les feuilles jusque dans la maison. Un relent familier piqua le nez du shérif et assaillit ses narines qui se dilatèrent. C'était le genre d'odeur que vous n'oubliiez jamais après l'avoir sentie.

— Madame Crosby ? Bonjour !

C'était l'odeur caractéristique de la mort.

CHAPITRE TRENTE-TROIS

JACK RAINES APERÇUT LES LUMIÈRES stroboscopiques à travers la fenêtre qui donnait sur le devant de la maison. Il sortit de la cuisine à grandes enjambées et s'arrêta en bas des escaliers. Il se tint à la rampe et leva les yeux en direction du couloir.

— Jeremy ! Jer !

La pièce était baignée de lueurs rouges et bleues : il y avait sûrement plus d'une voiture dehors. Ce n'était pas bon signe. Il passa la main sur l'écran de son téléphone et fit défiler les contacts. Il avait le nom et le numéro de l'avocat. Ce dernier n'avait cependant aucune idée de qui il était. L'appeler à une heure aussi tardive n'était peut-être pas très judicieux.

— Jeremy, descends, veux-tu ?

Toc. Toc. Toc.

— Jeremy ?

Jack soupira et se retourna. Il ouvrit la porte d'entrée.

— Adjoint Schenck. Adjoint Mendoza.

En silence, ils le saluèrent à leur tour d'un hochement de tête.

— Où est votre neveu, monsieur Raines ? demanda Mendoza.

Jack jeta par réflexe un coup d'œil en direction de l'escalier.

— Je... je ne sais pas trop.

Schenck se fraya un chemin dans la maison et gravit les marches.

— Hé, vous n'avez pas le droit de faire ça, protesta Jack en regardant Mendoza dans les yeux. Il n'a pas le droit.

Elle lui tendit une feuille de papier pliée en trois.

— C'est un mandat. Nous avons l'autorisation de procéder à une perquisition de votre domicile. Je vais vous demander de bien vouloir attendre dehors avec l'adjoint Kelley. Il est près de la voiture de patrouille.

———

Jeremy s'immobilisa en apercevant une cabane de chasse. La lumière fonctionnait à l'intérieur. Le fantôme l'avait conduit jusqu'ici. Il n'y était jamais venu auparavant.

Il jeta un regard aux alentours à la recherche de

l'apparition. Elle avait disparu. Il avait bien envie de l'appeler, de la sommer de revenir. Au lieu de cela, il demeura silencieux et tendit l'oreille sans qu'aucune voix ne lui parvienne. Aurait-il encore le temps de la sauver ?

Greta était-elle à l'intérieur de cette maison ?

À qui appartenait-elle ?

Il devrait retourner chercher le shérif. Les flics sauraient comment appréhender la situation.

Ils voudraient comprendre comment il était au courant que Greta se trouvait ici.

Ils souhaiteraient savoir comment il avait découvert cet endroit.

S'il leur disait qu'il avait suivi un fantôme, il serait encore une fois interné.

Il voulait qu'on l'interne à nouveau.

Mais pas dans ces conditions. Pas parce qu'on le soupçonnait d'enlèvement.

Il ignorait si Greta se trouvait ou non à l'intérieur.

Et pourtant, il la savait quelque part dans cette cabane. Mais comment était-ce possible ? Comment avait-il fait pour venir jusqu'ici ?

Il exerça une pression sur ses tempes avec le talon de ses mains. Les élancements qu'il ressentait depuis quelque temps déjà s'étaient intensifiés et mués en une douleur chronique et lancinante.

Il n'avait aucun moyen de savoir si Greta était là.

Il n'y avait pas de fantôme.

L'avait-il enlevée ? Avait-il fait du mal à Greta ?

Courbé en deux, les mains sur les genoux, il pleurait à présent. Son estomac se souleva et des vomissures souillèrent la neige. Une vapeur acide s'éleva du sol. Il recula et tendit un bras, se retenant à un arbre pour ne pas vaciller.

Jamais il ne pourrait l'admettre ou le croire.

Greta lui plaisait.

Il lui plaisait en retour.

La seule manière de le découvrir et de mettre fin à ses suppositions était d'entrer dans la cabane. Il devait vérifier par lui-même...

———

Les mains fourrées dans les poches de son manteau, Jack se tenait près du garage en compagnie des adjoints du shérif. Les policiers n'avaient strictement rien trouvé à l'intérieur de la maison. Bien qu'il n'ait jamais cru son neveu coupable de quelque chose, il était soulagé d'avoir eu raison. Il s'en voulait d'avoir douté de ce dernier ne serait-ce qu'un seul instant.

— Est-ce que nous avons droit à des excuses quand vous ne trouvez rien d'incriminant ?

Jack avait conscience qu'il aurait dû garder le silence. La perquisition touchait à sa fin. La police serait repartie d'ici une demi-heure. Il n'avait pas su garder sa langue. L'adjoint Schenck avait fouillé les tiroirs et retourné les coussins du canapé d'une manière exagérée. L'officier sadique qu'il était en faisait un peu trop.

— Ouvrez le garage, ordonna Schenck en inclinant la hanche, la main posée sur la crosse de son revolver.

Jack secoua la tête, mais se pencha et releva la porte. Cette dernière s'enroula et marqua un temps d'arrêt comme si elle s'apprêtait à redescendre, avant de finir par se stabiliser. Jack fit un pas en arrière et agita le bras pour les inviter à entrer.

Les adjoints Mendoza et Kelley éclairèrent l'obscurité de leurs lampes de poche. Schenck repéra la corde suspendue à l'ampoule qui se trouvait au milieu du garage et tira dessus.

Le sourire de Jack s'évanouit.

Malgré la lumière, Mendoza éclaira de sa lampe de poche le siège du scooter de Jeremy.

— Je ne sais pas ce que c'est, commença Jack qui se rendit immédiatement compte qu'il avait l'air sur la défensive, voire coupable.

— On dirait une culotte de femme, précisa Mendoza.

Elle glissa sa lampe de poche sous son bras, fouilla dans son manteau et en retira un sac en papier plié de couleur marron. Kelley le lui prit des mains et le secoua pour l'ouvrir.

— Allons, qu'est-ce que ce truc viendrait faire ici ? Pourquoi quelqu'un laisserait-il une chose pareille à la vue de tout le monde ? Ça n'a aucun sens. C'est ridicule, protesta Jack tandis que Schenck enfilait une paire de gants en latex.

Schenck souleva la culotte et l'examina de près avant de la déposer délicatement dans le sac marron.

— Où est votre neveu, Jack ?

L'adjoint Mendoza serrait la mâchoire et le dévisageait.

— Je ne sais pas.

— Est-ce qu'il est allé quelque part ?

— Il était à la maison. Nous avons discuté. J'ai cru qu'il était monté se coucher, expliqua Jack.

— Essayez de l'appeler, ordonna-t-elle. Nous devons le trouver et vérifier s'il sait où est Greta, si elle est toujours en vie...

Jack sortit son téléphone portable de sa poche.

Il se disait qu'il devrait d'abord appeler l'avocat.

Mendoza avait cependant raison. Ce n'était pas Jeremy qui comptait en cet instant. C'était Greta Murray.

CHAPITRE TRENTE-QUATRE

JEREMY S'APPROCHA DE LA CABANE DE CHASSE. Cette dernière était située dans une sorte de vallée, nichée entre les arbres. On apercevait des bûches empilées sous une bâche tendue. Deux chaises de jardin en bois étaient disposées côte à côte sous le porche d'entrée.

Il était impossible que Greta soit à l'intérieur.

L'endroit paraissait... normal.

Les élancements s'étaient calmés dans sa tête. La douleur avait presque fini de se dissiper.

Il n'avait rien à faire ici, pratiquement perdu dans les bois. Rien.

Il devrait faire demi-tour.

Si l'oncle Jack se rendait compte qu'il avait disparu, il s'inquiéterait. Ils avaient besoin de s'asseoir à nouveau et de parler.

Il perdait la tête.

Avait-il déjà su garder le contrôle de quelque chose ?

Jeremy gravit les deux marches qui conduisaient au porche. Le bruit de ses bottes sur le bois résonnait comme le tonnerre. Il grimaça. Si quelqu'un se trouvait à l'intérieur, il l'entendrait. Les habitants des montagnes possédaient des carabines et des fusils de chasse, et préféraient faire feu avant de poser des questions.

Il n'avait pas envie qu'on lui tire dessus.

Arrivé près de la fenêtre, derrière les chaises, Jeremy jeta un coup d'œil dans la cabane.

Il aperçut sa mère étendue dans une mare de sang sur le sol de la cuisine. Elle avait les yeux ouverts et le fixait. Ses lèvres bougeaient, mais il n'entendait pas ce qu'elle disait. S'adressait-elle à lui ?

Son père était là, lui aussi. Penché au-dessus de sa mère, il pleurait.

— Pourquoi n'as-tu pas su rester fidèle ? Pourquoi as-tu continué à le voir ?

Jeremy ferma hermétiquement les yeux et s'éloigna de la fenêtre d'un bond.

C'était ce qu'avait dit son père.

« Fidèle ». L'enfant de huit ans qu'il était n'avait pas saisi le sens de ce mot.

Il recula dans l'une des chaises et perdit l'équilibre. Il atterrit à quatre pattes et grimaça sous l'effet d'une douleur soudaine qui provenait de derrière sa rotule.

La porte d'entrée s'ouvrit.

La lumière qui régnait à l'intérieur de la cabane faisait ressortir l'ombre d'une silhouette dans l'embrasure.

— Je n'y crois pas, maugréa l'homme.

Jeremy perçut le bruit caractéristique d'un pistolet que l'on armait.

Au même moment, la vérité lui apparut.

Le passé avait enfin du sens.

Son cerveau avait rempli les blancs de ses souvenirs jusque-là refoulés.

— Lève-toi et entre immédiatement, aboya le shérif O'Sullivan.

———

Fort Keeps, État de New York — Adirondacks — Octobre 1912

Le corps inerte et sans vie d'Elissa Crosby était pendu à la poutre de la chambre de sa fille Alice. Elle faisait face à l'encoignure et portait une chemise de nuit blanche. Elle avait la peau bleuie, les pieds et les mollets couverts de boue séchée. Des excréments et de l'urine étaient présents sur le sol sous son cadavre. Les intestins se vident lorsque la mort vous rattrape.

Le shérif Benji O'Sullivan respira par la bouche et leva sa lanterne afin de mieux inspecter la pièce.

Selon lui, la mort remontait à un jour ou deux. Le docteur Marr pourrait toutefois être plus précis. Il essayait de déterminer l'heure du décès en fonction de la dernière fois où il s'était entretenu avec elle. C'était avant que Caleb Gregory ne soit assassiné dans sa cellule. Il avait eu l'intention de venir prendre de ses nouvelles, mais essayer d'assurer la sécurité de Jacob, le frère cadet, était devenu sa priorité.

Le suicide était une chose horrible. Bien qu'il n'ait relevé aucun indice susceptible de prouver la commission d'un acte criminel, il n'adhérait pas encore à l'idée qu'Elissa ait mis fin à ses jours.

Quelqu'un, quelque part, avait tué deux garçons.

D'une certaine manière, il avait soupçonné la mère d'Alice d'être responsable de ces incidents. Une vengeance. Cela semblait probable. Cela paraissait plausible. À vrai dire, cela faisait d'elle un suspect de premier plan. D'après le shérif, si ce n'était pas Elissa elle-même, ce devait être l'œuvre d'un proche de la famille Crosby.

Il savait désormais qu'elle n'avait pas pu agresser le fils Gregory à l'arrière de la charrette ce soir. Il sentit ses cheveux se dresser sur sa nuque. À moins qu'elle ait trouvé un moyen de venger la mort de sa fille depuis l'au-delà ?

La porte se referma brusquement derrière lui.

Il était seul dans la pièce avec la pendue.

Un vent froid balaya la chambre. Aussi invraisemblable que cela puisse paraître, la flamme de sa lanterne s'éteignit. Il avait conscience que quelque chose ne tournait pas rond. Il n'osait prononcer à voix haute les paroles qui lui traversaient l'esprit, mais ne put s'empêcher de les hurler intérieurement.

Un spectre ? Une apparition ?

Il fit tomber la lanterne et se précipita vers la porte.

Celle-ci ne bougeait pas.

O'Sullivan entendit quelqu'un rire.

Une femme.

La seule autre personne dans la pièce était un cadavre suspendu.

Lentement, O'Sullivan se retourna.

Une lumière parasite filtrait dans la chambre depuis la fenêtre qui se trouvait à côté du lit.

Le cadavre s'était retourné et lui faisait face.

Les yeux d'Elissa s'ouvrirent. Ses mains bondirent en avant. O'Sullivan poussa un cri.

CHAPITRE TRENTE-CINQ

PROPULSÉ PAR-DERRIÈRE, JEREMY ENTRA DANS LA cabane de chasse. Il perdit l'équilibre, trébucha sur un pouf et tomba lourdement sur le sol. Une fois de plus, son genou claqua violemment par terre. Ignorant la douleur, il se retourna sur le dos et leva les yeux vers le shérif qui se dressait devant lui.

Le revolver n'était qu'à quelques centimètres, pointé directement sur son front.

— Jeremy !

Greta était menottée à un radiateur à eau chaude en fonte. Ses cheveux collaient à son front. Un bandeau noir était attaché sur ses yeux et dissimulait presque entièrement son visage. Ses vêtements étaient déchirés. Elle avait les bras couverts d'égratignures et d'ecchymoses.

— Est-ce que ça va ? demanda-t-il.

O'Sullivan donna un coup de pied à Jeremy dans le bas de la cuisse.

— Qu'est-ce que tu fabriques ici ?

Il ne s'agissait pas d'une question.

— Je sais ce que vous avez fait, répliqua Jeremy. Vous avez abattu mon père.

— Il a tué ta mère.

— Non, c'est faux. C'était un accident, rétorqua Jeremy.

— Tu avais huit ans. Qu'est-ce que tu en sais ?

— Je n'en avais pas conscience à l'époque, mais c'est différent à présent. Je me souviens de tout, maintenant. Vous êtes arrivé pendant qu'ils se disputaient et vous avez tiré sur mon père, lança Jeremy. C'était logique. C'est vous qui m'avez fait enfermer à St Mary's pendant toutes ces années.

— Ta mère n'aimait pas ton père. Elle m'aimait. Mais il ne voulait pas la laisser partir. Elle m'avait dit qu'elle allait le quitter, qu'elle allait lui en faire part ce matin-là. Tu as de la chance que je sois venu. Je savais que les choses allaient mal tourner. Cette histoire a rendu ton père complètement fou...

— Fou parce qu'il voulait préserver sa famille ?

— Il a tué ta mère. Il aurait pu te tuer aussi. J'ai déjà vu ce genre de choses arriver. Des crimes passionnels. Ton père n'avait pas les idées claires. Il était incontrôlable.

— Vous allez finir en prison pour ça !

Le shérif O'Sullivan éclata de rire, mais garda son arme pointée sur la tête de Jeremy.

Il n'y avait rien de drôle.

— Est-ce que ça va, Greta ?

— Elle va bien, gamin. Elle va bien, répondit O'Sullivan. Mais tu as tout gâché. Tu n'aurais jamais dû revenir chez toi. J'allais la laisser partir, tu sais. *Probablement.* J'aurais attendu quelques jours, patienté jusqu'à ce qu'on te renvoie à l'hôpital, et ensuite je l'aurais laissée partir. Elle n'était pas au courant que c'était moi qui l'avais enlevée. Elle ne le savait pas jusqu'à maintenant, jusqu'à cet instant précis, jusqu'à ce que tu arrives. Tu l'as tuée, Jeremy. Tout comme tu es responsable de la mort de tes parents.

— Je ne suis pas responsable de leur mort !

O'Sullivan passa sa langue sur ses dents.

— Bien sûr que c'est ta faute. C'est à cause de toi que ta mère ne pouvait pas être heureuse. Si tu n'avais pas été là, elle aurait quitté ton père en un clin d'œil. En un clin d'œil, je te dis. C'est toi qui l'en as empêchée, Jeremy. C'est toi qui l'as retenue.

— Ce n'est pas vrai, protesta Jeremy.

— Et tu as aussi tué Greta, à présent. Il est hors de question que la laisse partir. Pas maintenant qu'elle sait tout, railla le shérif en agitant son arme. Je dois la tuer et ensuite, je t'éliminerai. Mais tu vois, je vais m'arranger pour te faire porter le chapeau. Je ferai croire à tout le monde que tu as pété les plombs une fois de plus et que tu t'en es pris à ta petite amie.

Greta luttait pour se libérer des menottes qui s'enfonçaient dans sa chair.

— Du calme, mademoiselle. Du calme, ordonna O'Sullivan.

Jeremy chercha autour de lui quelque chose qu'il pourrait utiliser afin de se défendre contre le shérif. Il devait bien y avoir un moyen de l'attaquer et de sauver Greta. Il ne vit pas un seul objet qui puisse servir d'arme par destination.

— Je vais procéder plus ou moins comme lorsque j'ai fait porter à ton père la responsabilité de la mort de ta mère. Ce sera exactement la même chose. Un meurtre-suicide. Ça arrive tout le temps. Des crimes passionnels, comme je te l'ai dit. L'amour, illusoire ou non, est un sentiment puissant. Il rend les gens fous la majorité du temps. Il handicape ceux qui sont comme toi. Ceux qui ont déjà l'esprit perturbé.

Il se mit à rire.

— Mais tu sais quoi ? Je ne t'ai pas fait interner. J'étais au courant que tu m'avais vu, mais j'étais persuadé que j'arriverais à te convaincre que tu avais été témoin de tout autre chose ce matin-là et que j'étais venu pour essayer de secourir tes parents. Je dois bien reconnaître que je me suis un peu inquiété. J'ai eu peur de ce que tu allais dire, mais tu t'es simplement muré dans le silence. Tu n'as répondu à aucune question. On a d'abord mis ça sur le compte d'un choc émotionnel. Tu étais traumatisé, et à juste titre. Mais tes souvenirs étaient toujours là.

O'Sullivan haussa les épaules et Jeremy sentit la colère monter en lui. Ses joues étaient tellement chaudes qu'il avait l'impression d'avoir le visage en feu.

— Te voilà en colère, hein ? fit le shérif en pinçant les lèvres. Mais ensuite, il a fallu que tu reviennes à Fort Keeps. Il y a quelques années, lorsque ton oncle a emménagé ici, j'ai senti les problèmes arriver. Et quand je t'ai croisé ce jour-là, car je devais trouver un moyen de tomber sur toi, j'ai compris à ton regard que tu m'avais reconnu.

Le shérif O'Sullivan fit claquer sa langue.

— Il fallait bien que je fasse quelque chose, n'est-ce pas ?

— Pas ça, supplia Jeremy. Vous n'êtes pas obligé de faire ça. Vous pouvez la laisser partir. Elle ne dira rien à personne. Pas vrai, Greta ?

— Non, je ne dirai rien. Rien du tout.

Sa voix se brisa comme si elle n'avait pas parlé depuis des jours.

— Ben ouais, je suis obligé, ricana O'Sullivan. Je vais d'abord la tuer, Jeremy. Je vais lui loger une balle dans le crâne et tu vas regarder. Je veux que tu prennes la mesure de ce qui va arriver. Elle va mourir à cause de toi.

Le shérif leva son arme et la braqua sur Greta.

Jeremy était toujours sur le dos. Il ne pouvait rien

faire à part donner des coups de pied. Ses bottes vinrent frapper le shérif au niveau des tibias.

Le coup partit.

Greta hurla.

Jeremy se mit à quatre pattes, se retourna et bondit vers le shérif.

Au même moment, les lumières de la cabane s'éteignirent...

CHAPITRE TRENTE-SIX

Jeremy heurta violemment le shérif et lui enfonça son épaule dans la poitrine. Tous deux s'écrasèrent sur le sol tandis que les lumières de la cabane s'éteignaient. Jeremy crut qu'ils avaient atterri sur le cordon d'alimentation d'une lampe et que celui-ci avait dû se trouver arraché de la prise.

Le shérif le repoussa et les cheveux de Jeremy se dressèrent sur sa nuque.

O'Sullivan s'agenouilla au-dessus de Jeremy et lui asséna des coups de poing.

Alors qu'on le frappait, l'air désertait les poumons de Jeremy. Il suffoquait.

Il reçut un autre coup de poing dans la mâchoire.

Il se mordit la langue et sentit une douleur irradier dans sa tête.

Les coups continuèrent à pleuvoir jusqu'à ce que

quelqu'un se mette à rire.

O'Sullivan pivota sur un genou.

Jeremy profita de cet instant de répit pour se concentrer sur sa respiration. Il entendit Greta sangloter près du radiateur. Si elle avait été touchée par balle, elle était au moins encore en vie.

Le shérif se releva. Partout aux alentours, l'obscurité régnait. Jeremy ne distinguait presque rien, mais il avait cependant la sensation qu'ils n'étaient pas seuls.

— Non, souffla le shérif. Ce... non.

Jeremy parcourut du regard la pièce ténébreuse. Il l'aperçut et la reconnut. Elle se trouvait dans le coin le plus éloigné, près de la fenêtre qui donnait sur le devant.

Il avait suivi cette femme à travers les bois. Elle l'avait conduit directement à la cabane de chasse d'O'Sullivan et à Greta.

Jeremy poussa sur ses coudes en grimaçant. Il enveloppa ses côtes meurtries d'un bras protecteur et fit de son mieux pour s'asseoir.

Il jeta un coup d'œil à Greta. Il apercevait son ombre enchaînée à un radiateur, mais elle était saine et sauve. Du moins pour l'instant.

Christopher O'Sullivan fit feu une première fois, puis une deuxième, puis une troisième.

Dans le coin, la femme demeurait inébranlable, indemne. Lorsque le shérif tira deux autres coups de feu, elle réagit et se déroula tel un serpent.

Elle bondit en avant, les bras écartés. Tel un lion qui attaque une gazelle, le fantôme entraîna le shérif au sol et lacéra sa chair de ses mains aux doigts en forme de serres.

Le corps du shérif se tordit. Il hurlait à la fois de douleur et de terreur. Ses cris aigus obligèrent Jeremy à se boucher les oreilles. Dans un concert de grognements et de gémissements, la femme déchira les tissus adipeux, ses dents grinçant au contact de la peau de sa victime.

Jeremy crut le fantôme presque en extase alors qu'il brisait les côtes du shérif et enfouissait son visage dans sa cage thoracique.

Il voulait fermer les paupières et détourner les yeux, mais n'y parvenait pas.

Subjugué, il observa la femme trancher les tissus et la chair. Le shérif cessa enfin de se débattre.

Ses cris s'étaient tus quelques minutes auparavant.

La femme, qui ressemblait davantage à un animal qu'à une créature surnaturelle, regarda fixement Jeremy.

Elle avait l'air sauvage.

Ses yeux illuminés brillaient tels ceux d'un chat aveuglé.

Jeremy recula contre le mur.

La femme se releva. Couverte de sang, elle contourna la dépouille du shérif, se retourna et pénétra dans les ténèbres à l'encoignure de la pièce.

— Jeremy ! hurla Greta. Jeremy !

Le fantôme fit volte-face. Les yeux brillants, elle continuait à regarder Jeremy qui n'arrivait même pas à ciller.

— Jeremy ? Il y a quelqu'un ?

Puis, le fantôme ferma les paupières.

La lueur s'évanouit.

L'obscurité l'engloutit.

Greta pleurait.

— Il y a quelqu'un ? Que quelqu'un vienne s'il vous plaît !

— Je suis là Greta. Je suis là.

La lumière revint dans la cabane. Aucune fiche n'était débranchée d'une prise de courant.

Il n'y avait pas de fantôme dans le coin.

— Jeremy ! Jeremy, il est arrivé quoi ? Qu'est-ce qui se passe ?

Fort heureusement, elle portait un bandeau. Le shérif était déchiqueté. Il y avait du sang partout. Pris de haut-le-cœur, Jeremy s'empara d'un porte-clés sur le cadavre tout en prenant soin de ne pas mettre les pieds dans les souillures qui maculaient le sol.

— Tout va bien, la rassura Jeremy en détachant ses menottes.

Greta s'apprêtait à enlever le bandeau qu'elle portait.

— Ne fais pas ça, la prévint-il. Je t'en prie, garde-le.

CHAPITRE TRENTE-SEPT

FORT KEEPS, ÉTAT DE NEW YORK
— ADIRONDACKS — OCTOBRE 1912

Le docteur Marr confirma qu'Elissa Crosby était décédée avant que le premier fils Gregory ne meure dans sa cellule. Cela la disculpait, mais le shérif Benji O'Sullivan doutait que son âme s'en trouve purifiée. Il n'avait jamais raconté à personne ce qui s'était passé dans la chambre d'Alice le soir où il avait découvert Elissa pendue à un nœud coulant. Le cerveau avait tendance à vous jouer des tours lorsqu'on était confronté à une situation troublante. Il s'était laissé effrayer, un point c'est tout. Son cadavre bleu n'avait pas pu pivoter au bout de la corde et tendre le bras pour l'agripper. C'était parfaitement impossible.

Elissa Crosby ne possédait pas grand-chose mis à part le lopin de terre sur lequel était bâtie sa petite maison. La plupart des gens étaient dans le même cas. Les temps étaient durs.

Le shérif avait fait incinérer les dépouilles d'Elissa et de sa fille, Alice.

Il avait construit une petite cabane de chasse au fond des bois dans le plus bel endroit des Adirondacks. Il y régnait une tranquillité qui lui permettait de s'évader loin de tout.

Il emporta leurs cendres avec lui dans la cabane ce week-end-là. Au terme d'un agréable dîner au menu duquel figurait du chevreuil, il ouvrit la *Première épître aux Corinthiens* et se mit à lire : « Ainsi en est-il de la résurrection des morts. Le corps est semé corruptible ; il ressuscite incorruptible ; il est semé méprisable, il ressuscite glorieux ; il est semé infirme, il ressuscite plein de force ; il est semé corps animal, il ressuscite corps spirituel. S'il y a un corps animal, il y a aussi un corps spirituel. »

Il ferma la Bible et la posa sur la table de la cuisine.

Le docteur Marr avait rassemblé les cendres dans une petite boîte en fer blanc. O'Sullivan s'en saisit et sortit de la cabane. On entendait la plainte gémissante du vent impatient de recevoir son offrande. Le shérif prit une profonde inspiration et ôta le couvercle. Il expira et secoua de la boîte afin de disperser les cendres que le vent accepta avec avidité.

O'Sullivan demeura encore un instant sur le

porche. Il patienta et prêta l'oreille sans réellement savoir ce qu'il attendait.

Rien ne se produisit. Aussi il soupira et retourna à l'intérieur.

Il lui arrivait rarement de lire plus d'un ou deux versets de la Bible le même soir. En dépit de sa sobriété, chaque maxime était empreinte d'une richesse qui méritait que l'on s'y attarde.

Cette nuit était propice à la réflexion, mais aussi au réconfort. L'apaisement auquel il aspirait ne pouvait venir que de Dieu.

Il s'assit à la table de la cuisine et passa ses mains sur la reliure en cuir de l'ouvrage avant de le soulever et d'ouvrir une page au hasard.

Les rumeurs commençaient à circuler et se propagèrent telle une traînée de poudre parmi les habitants. La mort prématurée et brutale d'une jeune fille avait été vengée. Les gens affirmaient avoir vu quelqu'un, ou quelque chose, vagabonder à travers les arbres. Les jeunes garçons prétendaient avoir entendu une voix de femme portée par le vent. Lorsqu'on les sommait de livrer davantage de détails, tous disaient la même chose : la présence en question voulait savoir où était sa fille.

Les bois de la région des Adirondacks renfermaient-ils un fantôme vengeur cherchant à punir les garçons qui faisaient du mal aux filles ?

C'était là une pensée absurde, mais qu'il ne parvenait pas à écarter totalement.

———

Fort Keeps – 6 mois plus tard

Les mains fourrées dans ses poches, Jeremy se tenait à l'extérieur de la maison et attendait pendant que l'oncle Jack terminait les formalités administratives avec l'agent immobilier. Au bout de l'allée, près de la route, se dressait un panneau « À vendre ». Leurs effets personnels étaient entassés à l'arrière de la camionnette. Les déménageurs viendraient plus tard récupérer les cartons qui se trouvaient encore à l'intérieur.

— Tu n'avais quand même pas l'intention de partir sans me dire au revoir, hein ? lança Greta en remontant l'allée d'un pas nonchalant.

Les mains gantées, la tête recouverte d'un bonnet de laine et blottie dans une lourde veste d'hiver, elle était vêtue comme s'il faisait encore moins vingt degrés.

— Ça ne me viendrait pas à l'idée.

Elle jeta un coup œil au camion, puis le regarda à nouveau.

— Je ne te crois pas.

Lui non plus ne croyait pas à ce qu'il racontait. Avant de songer à quitter Fort Keeps, il n'avait aucune idée de la douleur que causaient les adieux. Puis, il l'avait ressentie à son tour.

Greta l'avait soutenu pendant toute l'enquête. La

police voulait qu'il soit jugé pour la mort du shérif Christopher O'Sullivan.

Elle disposait d'un corps, mais n'avait aucune preuve de la culpabilité de Jeremy. L'arme utilisée pour trancher le shérif n'avait jamais été retrouvée.

— J'ai trouvé Greta attachée à un radiateur à l'intérieur de la cabane. Le shérif était là et a menacé de nous tuer, avait expliqué Jeremy aux enquêteurs.

— Et que s'est-il passé ? avait demandé l'adjoint Mendoza.

— Il nous a laissés partir.

C'était un mensonge, mais Greta y avait consenti. Pour ce qui était du reste, ils avaient prévu de dire la vérité. En racontant qu'il les avait laissés partir, cependant, Jeremy n'aurait pas à s'expliquer sur ce qui était réellement arrivé au shérif. Il ne serait pas obligé de faire allusion à des fantômes, ou à Elissa Crosby qui errait toujours dans les bois et protégeait les jeunes filles innocentes.

— Après avoir reconnu qu'il avait tué ton père ? reprit Mendoza.

— Il nous a dit que nous pouvions partir.

— Alors, pourquoi avoir emmené Greta ? Pourquoi avoir kidnappé ta petite amie ?

— Parce qu'il voulait que je sois interné.

— Pour quelle raison ?

— Je ne sais pas. Il devait avoir peur que je dise à quelqu'un qu'il avait tué mon père, j'imagine.

— Ça n'a aucun sens, tu sais.

— Comment ça ?

— Si Christopher ne voulait pas être arrêté pour avoir prétendument assassiné ton père et ensuite pour avoir soi-disant kidnappé ta petite amie, il ne vous aurait jamais relâchés, n'est-ce pas ?

Sans ciller, Mendoza le transperça du regard.

— Mais il l'a fait. Il s'est contenté de nous laisser partir, insista Jeremy en haussant les épaules.

— Et tu n'as pas vu ce qui lui est arrivé ?

— J'en ai entendu parler. Après coup...

Le dossier d'accusation contre Jeremy s'était peu à peu effondré. Au cours des dépositions, Greta Murray avait expliqué qu'on l'avait enlevée alors qu'elle rentrait chez elle à pied. Quelqu'un l'avait attaquée par-derrière. À son réveil, son pantalon et ses sous-vêtements avaient disparu. Elle était menottée à un radiateur, un bandeau sur les yeux.

Son ravisseur s'était tu jusqu'à ce que Jeremy se présente ce soir-là.

Une dispute avait alors éclaté entre les deux. Greta avait raconté de son mieux le contenu des échanges entre Jeremy et le shérif O'Sullivan aux avocats qui étaient présents.

— Mais comment savais-tu que c'était le shérif O'Sullivan si tu avais les yeux bandés ?

— J'ai reconnu sa voix.

— Comment pouvais-tu être sûre que c'était le shérif O'Sullivan et pas quelqu'un d'autre ?

— Quand je sortais avec son fils, je dînais avec le shérif trois soirs par semaine environ. Je connaissais très bien sa voix.

— Et tu as entendu le shérif dire qu'il allait vous laisser partir ?

— Non, pas au début.

— Qu'est-ce qu'il a dit, au début ?

— Qu'il allait me tuer et obliger Jeremy à regarder, et qu'ensuite, il le tuerait aussi.

— Tu as entendu l'homme qui t'a enlevé dire ça ?

— Oui. J'ai entendu le shérif O'Sullivan le dire.

———

— J'ai quelque chose pour toi, annonça Jeremy.

— Pour moi ? reprit Greta en souriant.

Il se dirigea vers le garage et ouvrit la porte.

Un morceau de papier était collé au siège de son scooter.

— Je voudrais te le donner.

Elle regarda le message qui figurait sur le papier. Son nom et son adresse y étaient inscrits.

— Tu allais partir sans me dire au revoir, hein ?

— Je ne sais pas.

Elle baissa la tête et murmura :

— Nous n'avons jamais parlé de ce qui s'est passé cette nuit-là.

— On ne devrait pas non plus.

Depuis la nuit où Elissa les avait sauvés, Jeremy

n'avait éprouvé aucune difficulté à dormir dans la maison et dans sa chambre. Le fantôme l'avait conduit à travers les bois. Il était parvenu à retrouver Greta, mais Elissa était la véritable héroïne de l'histoire, celle qui protégeait les filles innocentes contre les sales types.

— Tu vas me manquer, tu sais.

— Tu ne vas pas loin, seulement à Rochester. Je suis sûre qu'on se reverra, affirma-t-elle en souriant à nouveau.

C'était une bonne idée.

Mais cela n'arriverait jamais.

L'existence les en empêcherait.

— J'y compte bien.

— Je peux prendre mon scooter et venir jusqu'à Rochester quand je veux, maintenant.

Elle éclata de rire, mais son sourire s'estompa. Elle se mit sur la pointe des pieds et l'enlaça, enroulant ses bras autour de son cou. Puis, elle l'attira à elle et lui murmura à l'oreille :

— Tu as intérêt à m'envoyer tout le temps des textos.

———

Les tempes grisonnantes et vêtu d'un blazer rehaussé d'une chemise et d'une cravate en soie, Jeremy Raines était attablé seul au milieu du restaurant. Il s'efforçait de faire abstraction du couple qui se trouvait en face de lui. Tous deux avaient oublié leur repas et s'étaient remis à le dévisager ouvertement.

Lorsqu'ils se levèrent, il comprit qu'il ne pourrait pas leur échapper.

— Nous sommes vraiment désolés, commença l'homme.

— Pardon de vous déranger, renchérit la femme.

— C'est bien vous, n'est-ce pas ? reprit l'homme.

Jeremy essaya de sourire. Il espérait qu'il ne grimaçait pas.

— Ouais.

Le couple se regarda et manqua de pousser un cri de joie.

— Je le savais. Je le savais, déclara l'homme. Nous possédons tous vos livres.

— Absolument tous, confirma la femme. Nous devons être vos plus grands fans. Et quand nous achetons un de vos livres...

— Nous en prenons deux.

L'homme leva deux doigts en l'air, illustrant parfaitement le chiffre deux.

— Vous voulez savoir pourquoi ?

— Nous n'avons pas la patience d'attendre que l'autre le finisse en premier, expliqua la femme.

— Nous les lisons en même temps !

— C'est très gentil à vous. Vraiment.

— Nous n'avons pas d'exemplaires ici avec nous, mais est-ce que vous pourriez nous signer un autographe sur une serviette, ou quelque chose comme ça ?

— Avec plaisir.

Il griffonna sa signature et, après un instant de réflexion, l'apposa à nouveau sur une deuxième serviette.

— Ça vous ennuierait si on prenait une photo ?

Ils firent signe à un serveur auquel ils remirent leur téléphone avant de se glisser dans son espace personnel et de sourire à l'objectif.

— Merci, merci beaucoup !

Il ne pouvait leur en vouloir. Lorsqu'il avait commencé à écrire des livres, il ne s'attendait pas à devenir riche ou à connaître la gloire. Les ventes avaient décollé. Son roman *La femme dans les bois* était devenu numéro un sur la liste des best-sellers du *New York Times*. Il en avait été de même pour tous les ouvrages suivants.

— Tout le plaisir est pour moi.

Il les observa alors qu'ils retournaient à leur table sans le quitter des yeux.

— Je te dérange ?

Jeremy se leva.

— Greta ? Depuis quand est-ce que tu es ici ?

— Oh, je suis arrivée à peu près au moment où ils sont venus te voir.

— Tu aurais pu voler à mon secours, tu sais, plaisanta-t-il en tirant la chaise en face de lui.

Elle s'assit.

— Quoi ? Et passer à côté de l'occasion de te voir au supplice ? Jamais.

Elle tendit le bras sur la table et attrapa sa main.

— Désolée d'être en retard. Je voulais seulement m'assurer que les enfants étaient prêts.

— Oncle Jack veille au grain. Nous pouvons sortir ensemble un soir par mois. Quant à vous, reprit Jeremy en jetant un coup d'œil à une montre imaginaire à son poignet, vous avez cinq minutes de retard, mademoiselle.

Greta pouffa de rire.

— Plus l'attente est longue, plus le plaisir est grand, mon vieux. Plus l'attente est longue, plus le plaisir est grand.

FIN

Cher lecteur,

Nous espérons que vous avez passé un agréable moment avec *La Femme dans les Bois*. N'hésitez pas à prendre quelques instants pour laisser un commentaire, même s'il est court. Votre avis est important pour nous.

Bien à vous,

Phillip Tomasso et l'équipe de Next Chapter

À PROPOS DE L'AUTEUR

Avec plus de vingt-six romans à son actif, Phillip Tomasso a remporté plusieurs prix en qualité d'écrivain et est auteur de best-sellers sur Amazon. Il travaille à temps plein comme opérateur dans un centre d'appel d'urgence où il s'occupe de gérer la répartition des services d'incendie et de secours médical. Outre l'écriture et les moments passés en famille, Tomasso aime jouer de la guitare et chanter. Si vous l'entendiez pousser la chansonnette, vous pourriez cependant trouver à y redire. Comme toujours, Tomasso travaille sur son prochain roman. N'hésitez pas à vous rendre sur son site Web, à le suivre sur Twitter et à aimer sa page d'auteur sur Facebook. Pour faire part à Tomasso de vos critiques et commentaires, ou bien solliciter sa prise de parole en tant qu'invité, vous pouvez également lui envoyer un e-mail à l'adresse suivante :

phillip@philliptomasso.com
www.philliptomasso.com

www.twitter.com/P_Tomasso
www.facebook.com/authorphilliptomasso

REMERCIEMENTS

Je tiens à remercier tout particulièrement mes bêta-lectrices et héroïnes (jeu de mots) : Morgan « Mme Morgs » Gleisle, Katie « K-Pop » Popielarz, Susan Bates, Roseann Powell, Corrine Chorney, et enfin Alyson Read. À maintes reprises, ces dames ont contribué à étoffer les idées de ce roman court. En plus de consulter d'innombrables brouillons, elles m'ont fait part de leurs commentaires, fourni des directives et se sont montrées patientes devant mon babillage permanent pendant l'écriture de cette histoire. Je remercie également mon éditeur Miika Hannila ainsi que toute l'équipe de Next Chapter. Ils continuent d'accorder à mes récits une grande importance, et je leur suis reconnaissant d'être là et de me soutenir.

REMARQUES

Chapitre 2

1. N.d.T. : Hôpital universitaire situé à Rochester, dans l'état de New York.

Chapitre 6

1. N.d.T. : Abréviation de Department of Motor Vehicles, organisme chargé de l'immatriculation des véhicules et de l'émission des permis de conduire aux États-Unis.

Chapitre 7

1. N.d.T. : Formulaire utilisé aux États-Unis pour signaler la somme versée par l'employeur à un salarié au cours du dernier exercice et celle des impôts retenus sur son salaire. L'employeur le remet à l'administration fiscale chargée de vérifier que le salarié s'est bien acquitté des taxes nécessaires.

Chapitre 25

1. N.d.T. : Jeu originaire du Canada et très semblable à celui des petits chevaux. Le déplacement s'effectue au moyen de pions et le lancer de dé est remplacé par des cartes à piocher.

La Femme Dans Les Bois
ISBN: 978-4-86751-891-5
Édition Reliée À Gros Caractères

Publié par
Next Chapter
1-60-20 Minami-Otsuka
170-0005 Toshima-Ku, Tokyo
+818035793528

13 Juillet 2021